projeto
**Teláris**

# Caderno de atividades

## Português 7

Ana Trinconi Borgatto
Terezinha Bertin
Vera Marchezi

**Ana Maria Trinconi Borgatto**
- Licenciada em Letras pela Universidade de São Paulo (USP)
- Mestre em Letras pela USP
- Pós-graduada em Estudos Comparados de Literaturas de Língua Portuguesa pela USP
- Pedagoga graduada pela USP
- Professora universitária
- Professora de Língua Portuguesa do Ensino Fundamental e Médio

**Terezinha Costa Hashimoto Bertin**
- Licenciada em Letras pela USP
- Mestre em Ciências da Comunicação pela USP
- Pós-graduada em Comunicação e Semiótica pela Pontifícia Universidade Católica de São Paulo (PUC-SP)
- Professora universitária
- Professora de Língua Portuguesa do Ensino Fundamental e Médio

**Vera Lúcia de Carvalho Marchezi**
- Licenciada em Letras pela Universidade Estadual Paulista (Unesp – Araraquara, SP)
- Mestre em Letras pela USP
- Pós-graduada em Estudos Comparados de Literaturas de Língua Portuguesa pela USP
- Professora universitária
- Professora de Língua Portuguesa do Ensino Fundamental e Médio

**Diretoria de conteúdo e inovação pedagógica**
Mário Ghio Júnior

**Diretoria editorial**
Lidiane Vivaldini Olo

**Gerência editorial**
Luiz Tonolli

**Editoria de Língua Portuguesa**
Renato Luiz Tresolavy

**Edição**
Rosângela Rago,
Valéria Franco Jacintho
e Francisca Tarciana Morais da Silva (estag.)

**Arte**
Ricardo de Gan Braga (superv.),
Andréa Dellamagna (coord. de criação),
Tomiko C. Suguita (editora de arte)

**Revisão**
Hélia de Jesus Gonsaga (ger.), Rosângela Muricy (coord.),
Ana Paula Chabaribery Malfa, Gabriela Macedo de Andrade,
Heloísa Schiavo, Barbara Molnar,
Brenda Morais e Gabriela Lubascher Miragaia (estagiárias)

**Iconografia**
Sílvio Kligin (superv.),
Denise Durand Kremer (pesquisa),
Cesar Wolf e Fernanda Crevin (tratamento de imagem)

**Ilustrações**
Cláudio Chiyo, Nik Neves e Suryara Bernardi

**Foto da capa:** Tiplyashina Evgeniya/
Shutterstock/Glow Images

---

Direitos desta edição cedidos à Editora Ática S.A.
Avenida das Nações Unidas, 7221, 3º andar, Setor C
Pinheiros – São Paulo – SP – CEP 05425-902
Tel.: 4003-3061
www.atica.com.br / editora@atica.com.br

---

Dados Internacionais de Catalogação na Publicação (CIP)
(Câmara Brasileira do Livro, SP, Brasil)

> Borgatto, Ana Maria Trinconi
>     Projeto Teláris : língua portuguesa : ensino fundamental 2 / Ana Maria Trinconi Borgatto, Terezinha Costa Hashimoto Bertin, Vera Lúcia de Carvalho Marchezi. – 2.ed. – São Paulo : Ática, 2015. – (Projeto Teláris : português)
>
>     Obra em 4 v. para alunos do 6º ao 9º ano.
>
>     1. Português (Ensino fundamental) I. Bertin, Terezinha Costa Hashimoto. II. Marchezi, Vera Lúcia de Carvalho. III. Título. IV. Série.
>
> 15-03002                                CDD-372.6

Índice para catálogo sistemático:
1. Português : Ensino fundamental   372.6

**2017**
ISBN 978 85 08 17239 9 (AL)
ISBN 978 85 08 17240 5 (PR)
Cód. da obra CL 738798
CAE 542 446 (AL) / 542 447 (PR)
2ª edição
5ª impressão
Impressão e acabamento
Bercrom Gráfica e Editora

# Apresentação

Colaborar no aprimoramento de suas habilidades de ler, compreender, interpretar e produzir textos é o objetivo fundamental dos estudos propostos nas aulas de Língua Portuguesa.

O uso da língua no dia a dia, os diversos recursos linguísticos em diferentes situações comunicativas, assim como as regras e convenções do português, são trabalhados para ampliar seu domínio sobre formas de expressão.

O **Caderno de Atividades** foi pensado para que você possa rever os conteúdos estudados em cada um de seus livros do **Projeto Teláris Português**. Aqui você encontrará:

- esquemas de revisão dos assuntos tratados no livro;
- atividades que vão ajudá-lo a refletir sobre usos da língua portuguesa;
- desafios de ortografia.

Neste **Caderno de Atividades** há ainda uma seção para você avaliar suas habilidades de leitura: Conhecimento em teste.

Lembre-se: exercitar é uma forma de estudar.

Ana, Terezinha e Vera

# Sumário

**1 Capítulo 1**   5
Recursos estilísticos:
linguagem figurada e recursos de construção   5
Usos de variedades linguísticas   10

**1 Capítulo 2**   12
Determinantes do substantivo:
sentidos para o texto   12
Ortografia: desafios   15

Conhecimento em teste   18

**2 Capítulo 3**   20
Pontuação e sentidos no texto   20
Verbo (I)   24
Ortografia: desafios   27

**2 Capítulo 4**   28
Verbo (II)   28
Ortografia: desafios   31

Conhecimento em teste   33

**3 Capítulo 5**   35
Verbo (III)   35
Ortografia: desafios   40

**3 Capítulo 6**   45
Frase e oração   45
Ortografia: desafios   47

Conhecimento em teste   49

**4 Capítulo 7**   50
Oração: sujeito e predicado   50
Ortografia: desafios   54

**4 Capítulo 8**   56
Oração: tipos de predicado   56
Ortografia: desafios   61

Conhecimento em teste   63

# Capítulo 1

## Recursos estilísticos: linguagem figurada e recursos de construção

Para relembrar:

1. Sérgio Capparelli é um poeta que compõe poemas para crianças e adolescentes e explora muitos recursos expressivos para enriquecer seus textos.
   Leia um de seus poemas e, em seguida, responda ao que se pede.

**Primavera**

Para a chuva,
A terra acorda
E arruma a casa.

Acende rosas,
Abre dálias
E pinta hibiscos.

Atrás do morro
O céu desponta,
É madrugada.

CAPPARELLI, Sérgio. *111 poemas para crianças.* Porto Alegre: L&PM, 2014. p. 132.

a) Você gostou do poema? Por quê?

_____

_____

b) Releia os dois primeiros versos do poema:

**Para** a chuva,
A terra acorda

Para compreendermos bem o início do poema, é preciso entender o significado da palavra destacada. Explique-a.

_____
_____
_____

c) No poema há dois elementos da natureza que ajudam a primavera a se mostrar: a terra e o céu.
A terra é personificada, isto é, assume características humanas.
Transcreva do poema três verbos empregados para construir a personificação da terra.

_____

d) O outro elemento que indica a chegada da primavera é o céu. Esse elemento é apresentado:
- como uma metáfora. (   )
- também personificado. (   )
- no sentido real, não figurado. (   )
- como uma aliteração. (   )

e) Releia os versos em que há a indicação da presença da primavera:

A terra acorda
E arruma a casa.

A palavra *casa* está empregada no texto em sentido real ou figurado? Explique.

_____
_____

f) Depois de ler o poema, podemos delimitar seu tema. Assinale a alternativa que melhor expressa o assunto do texto. Justifique sua resposta.
- A preparação para a primavera. (   )
- A primavera depois das chuvas. (   )
- O início da primavera. (   )
- Um amanhecer na primavera. (   )

_____
_____
_____

**2.** Leia outro poema desse mesmo autor:

### Ecologia

Se acabarem
Com o jabuti,
O jabuticaba.

CAPPARELLI, Sérgio. *111 poemas para crianças*. Porto Alegre: L&PM, 2014. p. 97.

Capítulo 1

a) O que mais chamou sua atenção na leitura desse poema? Justifique sua resposta.

_____

_____

b) Que preocupação é expressa no poema e justifica o título "Ecologia"?

_____

_____

c) No último verso do poema, há um jogo feito a partir da combinação de duas palavras. Que palavras são essas?

_____

d) Que nome recebe esse jogo de palavras?

_____

e) Esse último verso provoca um efeito de humor no texto. Explique como isso acontece.

_____

_____

f) O jogo de palavras foi possível porque:
- há a possibilidade de juntar palavras com sons semelhantes. ( )
- o tema do texto, que é ecológico, permite brincar com palavras. ( )
- o jabuti está em extinção e a jabuticaba não. ( )
- a palavra *jabuticaba* rima com *jabuti*. ( )

**3.** Leia a seguir um poema de Carlos Drummond de Andrade:

> ### A máquina do tempo
>
> Se a máquina do tempo nos tritura,
> ao mesmo tempo cria imagens novas.
> Renascemos em cada criatura
> que nos traz do Infinito as boas novas.
>
> ANDRADE, Carlos Drummond de. *Receita de Ano Novo*.
> 2. ed. Rio de Janeiro: Record, 2009. p. 55.

a) O que você achou da leitura do poema? Explique.

_____

_____

b) Explique o que pode significar a expressão *máquina do tempo*.

_____

_____

Capítulo 1

c) Por que se pode afirmar que a expressão *máquina do tempo* é uma metáfora?

_____
_____
_____

d) Pode-se afirmar que no poema estão expressos um sentimento pessimista e um sentimento otimista. Explique:

- o sentimento pessimista: _____
_____
_____
_____

- o sentimento otimista: _____
_____
_____
_____

**4.** Em propagandas, geralmente são empregados recursos expressivos para chamar a atenção do leitor. Leia a chamada de uma propaganda de biscoitos, veiculada nos anos 1980:

> Tostines vende mais porque é fresquinho
> Ou é fresquinho porque vende mais?

Assinale a(s) alternativa(s) que melhor completa(m) a frase a seguir.
A sonoridade dessa construção fica bastante evidente principalmente por haver:
- repetição de palavras. ( )
- aliteração. ( )
- ritmo. ( )
- assonância. ( )

**5.** É muito comum em brincadeiras infantis serem explorados recursos expressivos para torná-las mais atraentes.
a) Brincar com trava-línguas significa falar frases fluentemente, sem errar e o mais rápido que puder. Veja o que você consegue fazer, lendo em voz alta este trava-língua:

> A travessa Teresa tropeça
> nos trecos do chão e, trôpega,
> atropela tudo.
> Trecos no chão atrapalham
> e a fazem tropicar.
>
> *Adivinhas e trava-línguas*. 2. ed.
> São Paulo: Saraiva/Caramelo, 2009. p. 120.

b) Que recurso sonoro de construção é empregado para ressaltar essa brincadeira?

_____
_____

**6.** Leia o trecho de um poema de Marina Colasanti e diga o que produz efeitos sonoros na estrofe:

> [...]
> Só pode ser gato
> esse bicho exato
> acrobata nato
> que só cai de quatro.
>
> COLASANTI, Marina. *Cada bicho seu capricho.*
> 3. ed. São Paulo: Global, 2000. p. 2.

_____

_____

**7.** Leia a frase a seguir:

Sempre carrego lanchinhos comigo, porque o relógio do meu estômago dispara várias vezes durante o dia!

a) Qual é a metáfora presente nessa frase?

_____

b) Explique o sentido implícito, isto é, subentendido nessa metáfora.

_____

**8.** Leia com atenção o trecho de um poema de Cruz e Sousa, poeta do século XIX:

> [...]
> Vozes veladas, veludosas vozes,
> Volúpias dos violões, vozes veladas,
> Vagam nos velhos vórtices velozes
> Dos ventos, vivas, vãs, vulcanizadas.
> Tudo nas cordas dos violões ecoa
> E vibra e se contorce no ar, convulso...
> [...]
>
> CRUZ E SOUSA, João da. Faróis. In: MUZART, Zahidé (Org.). *Poesia completa.*
> Florianópolis: Fundação Catarinense de Cultura; Fundação Banco do Brasil, 1993.

Um dos recursos empregados para produzir a sonoridade no poema foi a aliteração. Explique o que é a aliteração e dê um exemplo.

_____

_____

_____

Capítulo 1 **9**

# Usos de variedades linguísticas

Para relembrar:

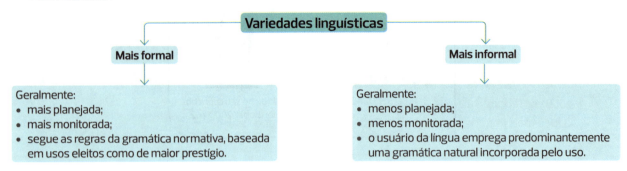

**Variedades linguísticas**

**Mais formal**

Geralmente:
- mais planejada;
- mais monitorada;
- segue as regras da gramática normativa, baseada em usos eleitos como de maior prestígio.

**Mais informal**

Geralmente:
- menos planejada;
- menos monitorada;
- o usuário da língua emprega predominantemente uma gramática natural incorporada pelo uso.

▪ Leia o cartaz a seguir, criado por uma empresa de propaganda para comemoração de aniversário de uma instituição de ensino.

Gente de atitude, como você, que pensa no futuro, sabe como é importante ter o desconfiômetro ligado. Entre você também para o movimento EU TENHO DESCONFIÔMETRO e mostre que você é legal, antenado, consciente, descolado e usa apenas o necessário sem desperdício.

Cartaz sobre campanha de uso consciente de recursos.

a) Qual é o objetivo da campanha veiculada pelo cartaz?

_____

_____

b) Leia estas palavras e seu significado:
- **hidrômetro**: instrumento que mede o consumo de água;
- **termômetro**: instrumento que mede a temperatura.

Como pode ser explicado o sentido da palavra *desconfiômetro* no contexto do cartaz?

_____

_____

_____

_____

c) Esse termo pode ser considerado próprio da linguagem formal, mais monitorada? Explique.

_____
_____
_____

d) Observe o desenho no cartaz: um termômetro imerso no planeta Terra. Observe também os elementos que estão ao redor do planeta.
O foco mais importante da campanha parece ser o cuidado com:
- brinquedos. ( )
- meio ambiente. ( )
- produtos industrializados. ( )
- aparelhos eletrônicos. ( )

e) Releia a frase do cartaz:

> Entre você também para o movimento EU TENHO DESCONFIÔMETRO e mostre que você é legal, antenado, consciente, descolado e usa apenas o necessário sem desperdício.

Transcreva a seguir termos que são mais empregados em linguagem mais informal.

_____
_____

f) Das palavras transcritas, quais podem ser consideradas gírias?

_____
_____

g) Pelo tipo de expressões escolhidas para a mensagem, qual é o provável interlocutor, leitor ou público-alvo desse cartaz? Explique.

_____
_____

h) Em sua opinião, a linguagem do cartaz é intencional ou casual e espontânea?

_____
_____
_____

i) Concluindo: pode-se afirmar que o anunciante, isto é, quem produziu o cartaz teve a intenção de empregar uma linguagem mais próxima do leitor que queria atingir, por isso elaborou um texto:
- mais formal, monitorado e planejado. ( )
- mais informal, espontâneo e menos planejado. ( )
- mais informal e muito planejado. ( )
- mais formal e pouco planejado. ( )

Capítulo 1   11

# Capítulo 2

## Determinantes do substantivo: sentidos para o texto

Para relembrar:

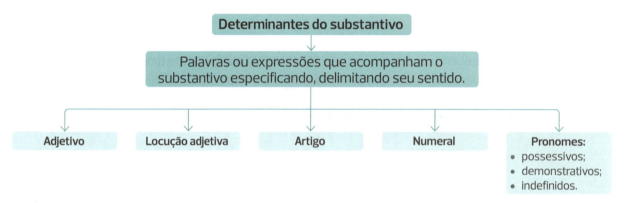

1. José Santos e Laurabeatriz produziram um livro de poemas sobre animais ameaçados de extinção. Você conhece a ararajuba? Leia um trecho de um poema sobre essa ave brasileira e veja a foto dela.

### Ararajuba

Descobri nova palavra!
Uma palavra bem rara,
Colhida no meio do mato
Como se fosse um cogumelo.

Quando eu quero
Pintar o céu
De verde e amarelo
É hora de conjugar
O verbo ararajubar!
[...]

SANTOS, José. *Rimas da floresta*: poesia para os animais ameaçados pelo homem. Ilustrações Laurabeatriz. São Paulo: Peirópolis, 2007. v. 2. (Col. Bicho-poema).

Ararajuba

a) Assinale a(s) alternativa(s) mais adequada(s) para completar a frase a seguir:
Ao dizer "Descobri nova palavra! / Uma palavra bem rara", pode-se compreender o sentido da palavra *rara* como:
- palavra pouco usada, pois o animal é raro. ( )
- palavra nova, pois o animal é novo. ( )
- palavra de difícil compreensão. ( )
- palavra pouco usada, pois o animal é pouco conhecido. ( )

b) Complete o esquema a seguir com as palavras que determinam o substantivo *palavra*. Observe a classe gramatical a que pertencem.

Atenção: nem todas as classes foram empregadas no poema. Transcreva apenas as que aparecem como determinantes.

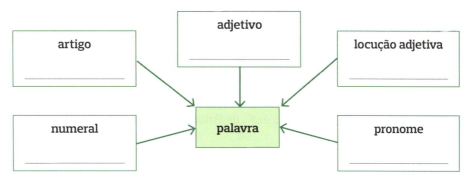

**2.** No mesmo livro de onde foi retirado o poema lido na questão anterior, os autores deram informações sobre a ararajuba. Veja:

### Ararajuba

Tem como cores o amarelo-ouro, o verde-bandeira, e o bico, marfim. Tem o porte de um papagaio, medindo 34 cm e pesando entre 150 g e 200 g, e é altamente sociável. Vive em bandos de 4 a 10 indivíduos que se alimentam nos topos das árvores e palmeiras, onde buscam sementes e frutos oleosos. Seu alimento predileto é o coquinho do palmito-juçara. Vive em média 30 anos e habita a Floresta Tropical úmida, ocorrendo do norte do Brasil (Maranhão) ao leste do Pará, do baixo Xingu ao Tapajós. Nome científico: *Guaruba guarouba*.

SANTOS, op. cit.

a) Para melhor caracterizar a ararajuba, vários substantivos do texto são acompanhados por determinantes que os especificam.

Retire do texto os determinantes dos substantivos listados a seguir e preencha o quadro, indicando a classe gramatical a que pertencem. Se precisar, consulte o esquema no início deste capítulo.

| Substantivo | Determinante | Classe gramatical |
|---|---|---|
| bico | | |
| porte | | |
| topos | | |
| frutos | | |
| alimento | | |

Capítulo 2  13

b) Que classe gramatical predominou no texto? Por quê?

_____

_____

c) Assinale a(s) alternativa(s) adequada(s) para completar a informação: pelo tipo de linguagem que você observou e pela intenção do texto, podemos afirmar que ele é predominantemente:

- humorístico ( )
- informativo ( )
- narrativo ( )
- descritivo ( )

3. Releia um trecho do poema "Festa da natureza", de Patativa do Assaré, que está completo na página 59 de seu livro.

**Festa da natureza**

Chegando o tempo do inverno
Tudo é amoroso e terno
No fundo do pai eterno
Sua bondade sem fim

Sertão amargo esturricado
Ficando transformado
No mais imenso jardim
Num lindo quadro de beleza
[...]

ASSARÉ, Patativa do; GEREBA. Festa da natureza.
Intérprete: Fagner. In: *Me leve*. [S.l.]: Sony Music, 2002. 1 CD. Faixa 1.

Complete o quadro como você fez na atividade anterior:

| Substantivo | Determinante | Classe gramatical |
|---|---|---|
| tempo | | |
| bondade | | |
| sertão | | |
| jardim | | |
| quadro | | |

14 Capítulo 2

**4.** Na atividade 2, você leu o trecho de um texto expositivo sobre a ararajuba.

Observe agora a foto de um animal também em extinção: o mico-leão-dourado:

a) Olhando a foto, descreva o animal usando pelo menos cinco palavras ou expressões para caracterizá-lo.

_____
_____
_____
_____

Mico-leão-dourado

b) Compare as palavras que você usou para caracterizá-lo com as que seus colegas usaram e verifique as semelhanças e diferenças registradas por vocês.

**5.** Releia o primeiro parágrafo do texto "Um tigre de papel", de Marina Colasanti.

> **Um tigre de papel**
>
> Sabendo que a ele caberia determinar seus movimentos e controlar sua fome, o escritor começou lentamente a materializar o tigre. Não se preocupou com descrições de pelo ou patas. Preferiu introduzir a fera pelo cheiro. E o texto impregnou-se do bafo carnívoro, que parecia exalar por entre as linhas. [...]
>
> Colasanti, Marina. *Contos de amor rasgados.* Rio de Janeiro: Record, 2010.

Agora, localize e transcreva um substantivo determinado por:

a) um pronome: _____

b) um adjetivo: _____

c) um artigo: _____

d) uma locução adjetiva: _____

# Ortografia: desafios

## Acento tônico, acento gráfico e prosódia

Para relembrar:

**Classificação das palavras quanto à posição da sílaba tônica**

| Oxítona | Paroxítona | Proparoxítona |
|---|---|---|
| Acento tônico na última sílaba. | Acento tônico na penúltima sílaba. | Acento tônico na antepenúltima sílaba. |
| sofá, sorrir, baú, atender | jovem, palavra, táxi, fácil | sólido, lâmpada, excêntrico |

Capítulo 2 · 15

1. Leia as palavras a seguir em voz alta, localize a sílaba tônica, escreva-a na coluna correspondente e classifique a palavra de acordo com a posição da sílaba tônica:

| | Sílaba tônica | Classificação |
|---|---|---|
| estranho | | |
| socorrer | | |
| tráfego | | |

| | Sílaba tônica | Classificação |
|---|---|---|
| bazar | | |
| liberdade | | |
| África | | |

2. Nesta atividade você terá duas opções de palavras para completar corretamente as frases. Leia as palavras em voz alta antes de completá-las para perceber as diferenças de tonicidade e de sentido.
A seguir, copie a palavra que preenche corretamente o sentido de cada frase:

a) Os papéis com as informações sobre a matrícula devem ser retirados na _____ da escola. (secretária/secretaria).

b) A _____ de educação do município quer que a campanha contra a dengue seja intensificada nas escolas. (secretária/secretaria)

c) Todos os _____ deveriam estar atentos às influências que as redes sociais existentes no _____ podem exercer sobre seus filhos. (país/pais).

d) Fico preocupado quando _____ alguém e posso evitar. Há coisas que podemos fazer para não causar _____ a nosso entorno: som alto, lixo mal embalado, animais soltos... (incomodo/incômodo).

e) Uma palavra simples, um gesto de carinho podem significar um grande _____ em momentos difíceis. (alivio/alívio)

f) Preciso ver se _____ o peso da mochila, pois estou com dor nas costas. (alivio/alívio)

g) Pedro abriu um novo _____ para comercializar doces de frutas. (negócio/negocio)

h) _____ hoje a venda do meu carro. (Negócio/Negocio)

3. Muitas palavras na língua portuguesa têm a mesma escrita e a posição da sílaba tônica é a mesma, e o que se altera é o som aberto ou fechado de uma das vogais.
Para rever isso, você fará a atividade a seguir oralmente. Pinte nos parênteses a vogal cujo som corresponde à da palavra indicada. Observe:
- o acento agudo para indicar o som de vogal aberta;
- o acento circunflexo para indicar o som de vogal fechada.

Veja um exemplo: O **choro** (ó/ô) contínuo da criança fez muitas pessoas irem até o local.

Agora é você:
a) Sem perceber deixou cair o **molho** (ó/ô) de chaves atrás do banco do carro.
b) **Molho** (ó/ô) as plantas com água de reúso.
c) Você não cumpriu o **acordo** (ó/ô) que fizemos: avisar sempre que sair.
d) Se não **acordo** (ó/ô) cedo me desorganizo o restante do dia.

e) Se você quiser **colher** (é/ê) flores bonitas, mexa nos vasos delicadamente com uma **colher** (é/ê) pequena para não machucar as raízes.

f) A **torre** (ó/ô) do antigo castelo tinha servido de prisão nos tempos antigos.

g) Tome cuidado e não **torre** (ó/ô) muito a carne para ela não perder o sabor.

4. Leia em voz alta a tira reproduzida a seguir.

SCHULZ, Charles M. *Snoopy*: assim é a vida, Charlie Brown. Porto Alegre: L&PM, 2013. p. 74.

a) Observando o que é dito no último quadrinho e a imagem da personagem, podemos afirmar que sua atitude é de:
   • envolvimento ( )   • indiferença ( )   • raiva ( )   • atenção ( )

b) Há duas palavras sublinhadas nos balões de fala. Pinte a vogal que indica a pronúncia adequada de cada uma delas.
   • apoio (ó/ô)   • retorno (ó/ô)

c) Forme duas frases, com as mesmas palavras da questão anterior, com o som oposto ao que você assinalou.

_____

_____

_____

5. As atividades 2, 3 e 4 enfocam aspectos de prosódia.

   Reveja o que é isso. Volte ao item 2 da *Unidade Suplementar* de seu livro para localizar a definição a seguir:

   Prosódia é _____

   _____

6. Imagine que você seja jornalista e deva apresentar as notícias a seguir. Nelas há alguns desafios de pronúncia a enfrentar.

   Leia em voz alta as frases e **pinte, nas palavras destacadas**, onde deve recair o acento tônico, isto é, que sílaba deve ser falada mais fortemente:

   a) Está ocorrendo **êxodo recorde** de pessoas da Somália em busca de melhores condições de vida na Europa.
   b) Foi divulgado nesta quarta-feira o nome do ganhador do prêmio **Nobel** da Paz.
   c) Com computadores e sistemas mais avançados, o usuário conta com uma multiplicidade de **caracteres** para produzir seus textos.
   d) Foram localizadas as **pegadas** dos animais que atacaram o gado no interior de Goiás.
   e) No último campeonato nacional de futebol de **juniores** muitos talentos foram revelados.
   f) A vacinação contra a gripe é **gratuita** para os que têm mais de 60 anos.
   g) Foi considerado **ruim** o resultado do Brasil nas avaliações internacionais.
   h) A **rubrica** do acusado foi reconhecida nos documentos anexados ao processo.

Capítulo 2   17

# Conhecimento em teste

### Texto 1

## A Raposa e o Cancão

Passara a manhã chovendo, e o cancão todo molhado, sem poder voar, estava tristemente pousado à beira de uma estrada. Veio a raposa e levou-o na boca para os filhinhos. Mas o caminho era longo e o sol ardente. Mestre cancão enxugou e começou a cuidar do meio de escapar à raposa. Passam perto de um povoado. Uns meninos que brincavam começaram a dirigir desaforos à astuciosa caçadora. Vai o cancão e fala:

— Comadre raposa, isto é um desaforo! Eu se fosse você não aguentava! Passava uma descompostura!...

A raposa abre a boca num impropério terrível contra a criançada. O cancão voa, pousa triunfantemente num galho e ajuda a vaiá-la.

CASCUDO, Luís da Câmara. *Contos de animais.* 1. ed. São Paulo: Global, 2013. p. 10. (Col. Cascudinho)

**Cancão**

Leia as questões e assinale a alternativa adequada.

a) A raposa conseguiu abocanhar o pássaro cancão porque:
- ele era um pássaro que voava muito lento. (   )
- a raposa armou uma cilada para apanhá-lo. (   )
- o pássaro estava com as penas molhadas e não voava. (   )
- a chuva destruiu as asas do pássaro cancão e ele não voava mais. (   )

b) Que alternativa substitui melhor o termo *desaforo* na frase:

Comadre raposa, isto é um desaforo!

- sermão (   )   • xingamento (   )   • irresponsabilidade (   )   • descuido (   )

c) Releia a frase:

Eu se fosse você não aguentava! **Passava uma descompostura!...**

A frase destacada nesse trecho pode ser substituída, sem alterar o sentido, por:
- Fazia os meninos correrem. (   )
- Aterrorizava os meninos. (   )
- Dava um susto enorme nos meninos. (   )
- Repreendia fortemente os meninos. (   )

d) O que possibilitou ao cancão voar novamente foi:
- o calor e o sol deixarem a raposa cansada. (   )
- o caminho ser longo e a raposa ter ficado com fome. (   )
- o caminho ser longo e o sol secar suas asas. (   )
- a raposa ter sido enganada pelas crianças. (   )

e) Releia a frase:

Uns meninos que brincavam começaram a dirigir desaforos à **astuciosa caçadora**.

A palavra *astuciosa* é uma qualidade de quem engana, usa de artifícios para conseguir o que quer, é malicioso, usa de esperteza para enganar outros.

18

A expressão em destaque empregada pelo narrador expressa:
- uma descrição fiel da raposa. ( )
- um fato a mais na história sobre a raposa. ( )
- um juízo do narrador sobre a raposa. ( )
- uma qualidade própria desse animal. ( )

## Texto 2

THAVES, Bob. Frank & Ernest. *O Estado de S. Paulo*, 3 abr. 2015. Caderno 2, p. C6.

Assinale as alternativas adequadas.

a) A expressão da tartaruga e sua fala revelam:
- Indignação por não poder entrar no casco. ( )
- Vergonha, pois está sem o casco diante de outras tartarugas. ( )
- Tristeza, pois sabe que perderá sua casa. ( )
- Raiva por não ter uma casco sem senha. ( )

b) A forma de a tartaruga se expressar revela:
- Uma expressão formal, planejada. ( )
- Linguagem informal, espontânea. ( )
- Formas coloquiais, com predominância de gírias. ( )
- Linguagem espontânea com muito planejamento. ( )

c) Há textos que trazem críticas subentendidas a aspectos da vida social.
Assinale a alternativa que pode expressar melhor a crítica implícita no humor dessa tira:
- Crítica a pessoas lentas, que esquecem coisas importantes. ( )
- Crítica a pessoas que não gostam de novas tecnologias. ( )
- Crítica à indiferença das tartarugas com o problema da que está falando. ( )
- Crítica ao excesso de uso de tecnologias no dia a dia. ( )

## Texto 3

### Crocodilo

Sérgio Capparelli

Um crocodilo
Do Nilo
Chamado Odilo
Preferia ser chamado de Odilon.

Um touro zebu
Chamado Zé Bu
Andava nu
Causando um grande rebu.
[...]

CAPPARELLI, Sérgio. *111 poemas para crianças*. 20. ed. Porto Alegre: L&PM, 2014. p. 32.

Assinale a alternativa correta.
Para conseguir efeito de humor no poema, o principal recurso empregado foi:
- O uso de linguagem figurada para criar um clima de coisas fantásticas. ( )
- O uso de brincadeiras com a linguagem com jogo de palavras e trocadilhos. ( )
- O uso de palavras desconhecidas para causar estranhamento. ( )
- O uso de repetições de palavras para ser lido facilmente. ( )

# Capítulo 3

## Pontuação e sentidos no texto

Para relembrar:

**Sinais de pontuação**

- Ajudam a organizar as ideias da frase e do texto.
- Indicam como a frase deve ser falada ou lida e atribuem sentidos para a frase.

**1.** Leia o quadro abaixo e complete-o. Se preciso, consulte a página 54 deste caderno.

| Sinal de pontuação | Nome do sinal de pontuação | Finalidade do sinal |
|---|---|---|
| ? | ponto de interrogação | indicar uma pergunta, uma dúvida |
| . | _____ | fazer uma declaração, afirmando ou negando algo, ou indicar uma abreviatura |
| , | _____ | _____ |
| : | _____ | anunciar que uma personagem vai falar; apresentar explicação, enumeração ou citação |
| ! | ponto de exclamação | _____ |
| – | _____ | _____ |
| ... | reticências | _____ |
| " " | _____ | _____ |

20

**2.** Leia o trecho de uma notícia:

> **Reserva supera 'exemplo' Hypólito e leva ouro na Copa**
>
> ***Ginástica artística*** Ângelo Assumpção, 18, vence no salto e fica à frente de Diego Hypólito, o bronze
>
> Tiago Ribas
>
> O grito da torcida no ginásio do Ibirapuera, em São Paulo, neste sábado (02) anunciou para Ângelo Assumpção, 18, que ele havia conquistado sua primeira medalha de ouro em uma etapa de Copa do Mundo de ginástica artística.
>
> "Quando eu saí eu não tinha visto o resultado, fiquei sabendo que tinha ganhado a medalha pela comemoração da torcida", disse a revelação da seleção brasileira.
>
> [...]
>
> *Folha de S.Paulo*. São Paulo, 3 maio 2015. Esporte, p. B15.

a) Releia a manchete principal. Nela há uma palavra destacada com um sinal chamado **aspas simples**. Veja: 'exemplo'.
Na notícia esse sinal foi empregado para destacar uma palavra. Trata-se de um recurso bastante comum na imprensa atualmente. Que outro sinal de pontuação poderia ser empregado nesse caso? Reescreva a expressão empregando-o.

**aspas simples**: sinal de pontuação ('ou') com que se inicia e termina uma tradução, uma citação, um destaque, etc.

_____

b) Releia a frase da chamada localizada abaixo da manchete:

Ângelo Assumpção, 18, vence no salto e fica à frente de Diego Hypólito, o bronze.

Observe como a vírgula foi empregada nessa frase. Consulte o quadro e explique o uso da vírgula nessa frase.

_____

c) No primeiro parágrafo, que sinal de pontuação foi usado para separar uma data? Transcreva o trecho e indique o sinal.

_____

d) No segundo parágrafo, que sinal de pontuação foi empregado com a finalidade de separar do restante o discurso direto, a fala de uma pessoa?

_____

e) Releia esta frase:

"Quando eu saí eu não tinha visto o resultado, fiquei sabendo que tinha ganhado a medalha pela comemoração da torcida."

Para indicar o entusiasmo do atleta ao ganhar a medalha de ouro, essa frase poderia ser pontuada de outra forma. Reescreva-a empregando uma pontuação que expresse de maneira mais enfática esse entusiasmo.

_____

_____

Capítulo 3  **21**

## Uso de aspas

**1.** Leia a notícia sobre dois exploradores do mar:

### Mar

William Beebe

O que vive nas profundezas, onde a pressão pode esmagar um mergulhador? Para ver em pessoa, Beebe experimentou o minúsculo submarino do inventor Simon Lake (ao lado, em 1932) e a **batisfera** do engenheiro Otis Barton (à direita, com Beebe dentro). Próximo à costa das Bermudas em 1934, Beebe e Barton tornaram-se os primeiros seres humanos a descer a 800 metros da superfície do oceano. "Quanto mais tempo passamos nela, menor ela parece ficar", disse Beebe sobre a batisfera. Lá embaixo, o naturalista, enfim, realizou seu sonho de observar criaturas vivas em seu hábitat.

*National Geographic Brasil.* São Paulo: Abril. Grandes aventuras. Edição especial, n. 173-A. p. 108-109.

 **batisfera**: veículo subaquático feito de aço, de forma esférica, com janelas de quartzo fundido, usado para explorar profundidades oceânicas.

**a)** O que o explorador Beebe queria observar no fundo do mar?

_____

_____

**b)** De acordo com o texto, qual é o risco que os mergulhadores correm ao enfrentarem as grandes profundezas do mar?

_____

**c)** Releia este trecho:

Para ver em pessoa, Beebe experimentou o minúsculo submarino do inventor Simon Lake (ao lado, em 1932) [...].

Qual é a finalidade do uso dos parênteses nessa frase?

_____

_____

**d)** Transcreva a outra parte da frase que emprega o mesmo recurso.

_____

_____

e) Releia o trecho que está entre aspas. Explique o motivo pelo qual esse recurso foi empregado.

___

___

**2.** Leia um trecho de uma reportagem sobre os polinésios.

> Séculos antes de os europeus percorrerem o Atlântico, os antigos polinésios exploraram o Pacífico em "canoas de viagem" [...], impelidos por remos e vela e capazes de atravessar milhares de quilômetros de mar aberto. Navegando com base na memória e na tradição oral, os polinésios colorizaram várias partes do globo, da Nova Zelândia ao Havaí.
>
> ALVAREZ, Stephen. *National Geographic Brasil*. Grandes aventuras. Edição especial 173-A. São Paulo: Abril. p. 20-21.

a) O trecho acima fala sobre a exploração do oceano Pacífico muito antes de os europeus explorarem o oceano Atlântico. Segundo o trecho, os antigos polinésios organizavam suas viagens:
- Com auxílio de instrumentos de navegação. ( )
- Pela observação do sentido dos ventos. ( )
- Com base nos conhecimentos transmitidos oralmente. ( )
- Com base no conhecimento trazido pelos europeus. ( )

b) Qual é a razão provável de a expressão "canoas de viagem" estar entre aspas?

___

___

___

**3.** O trecho a seguir também fala de um explorador dos mares, o francês Jacques Cousteau, responsável por inúmeras descobertas sobre ecossistemas marítimos.

> Cousteau rejeitou a exploração oceânica por dispositivos de controle remoto. Seu lema era "*Il faut aller voir*" – é preciso ir ver. Para aumentar o alcance e a velocidade de seus mergulhadores, desenvolveu equipamentos como o Disco Mergulhador, capaz de descer a mil metros de profundidade.
>
> *National Geographic Brasil*. Grandes aventuras. Edição especial 173-A. São Paulo: Abril. p. 108-109.

a) Qual é a razão de Cousteau ter rejeitado equipamentos por controle a distância, isto é, remoto?

___

___

b) No texto há uma expressão entre aspas. Por quê?

___

___

Capítulo 3

## Uso da vírgula

■ Leia as frases abaixo do quadro e escreva o número correspondente à justificativa adequada para o uso da vírgula.

| Justificativas |
|---|
| I. Separar elementos de uma enumeração. |
| II. Separar, quando necessário, expressões de tempo e de lugar. |
| III. Destacar, para melhor compreensão, elementos explicativos ou elementos que quebrem a continuidade da frase. |
| IV. Separar o lugar na apresentação de datas. |

a) Embarcações simples, instrumentos de navegação rudimentares e poucos conhecimentos sobre navegação não impediram povos antigos de explorar o desconhecido. (   )

b) Carlos, leia esta notícia sobre a descoberta de novas vacinas. (   )

c) O sal, muito comum em nossa alimentação diária, deve ser usado com moderação. (   )

d) Encontrei seu amigo, aquele que você me apresentou no sábado, numa lanchonete perto da escola. (   )

e) Na semana passada, perdi todos os meus documentos no metrô. (   )

f) Salvador, 13 de maio de 2015. (   )

g) Abaixe o som, Beto, senão não conseguiremos conversar. (   )

h) Na última sexta-feira, todos os que estavam na sala de aula, inclusive o professor, se comprometeram a ajudar na campanha de economia de água. (   )

# Verbo (I)

**1.** Complete o esquema sobre verbo com termos que faltam. Se precisar, consulte o Capítulo 3.

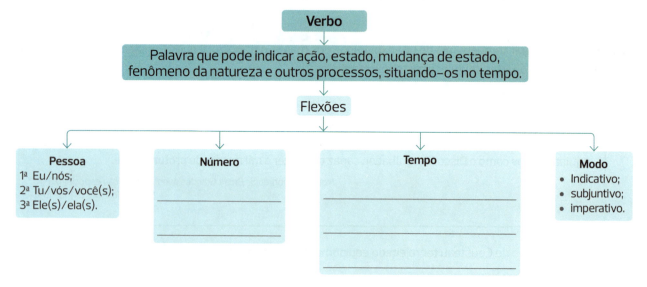

**2.** Leia a chamada de uma notícia publicada na primeira página de um jornal:

**Menina prodígio**

Com ouro e prata, estreante Flávia Saraiva é a melhor do Brasil na Copa de ginástica em SP.

*Folha de S.Paulo.* São Paulo, 4 maio 2015.

24　Capítulo 3

a) Copie as formas verbais da notícia e da legenda da foto:

b) Qual é o tempo indicado em cada uma dessas formas?

Flávia, 15, compete no Ibirapuera, em São Paulo.

**3.** Leia as manchetes de jornal a seguir.

a) Indique o tempo em que estão as formas verbais destacadas:
- "Europa **captura** 5 800 imigrantes em 2 dias" (*Folha de S.Paulo*, 4 maio 2015.)

- "Sabesp **elevará** conta de água em 15% acima da inflação" (*Folha de S.Paulo*, 5 maio 2015.)

- "'Prima' da dengue, febre chikungunya **avança** pelo país. Transmitida pelo mosquito, doença que **chegou** ao Brasil em setembro já **foi registrada** em 16 estados" (*Folha de S.Paulo*, 4 maio 2015.)

- "Geração que **viu** dois piores tremores do Nepal **revive** o medo" (*Folha de S.Paulo*, 3 maio 2015.)

b) Geralmente as notícias referem-se a fatos já acontecidos. Como se pode explicar a presença de formas verbais no presente em algumas manchetes?

**4.** Leia parte de uma notícia sobre instalação de internet na Índia prejudicada por macacos.

### Macaco atrasa plano de internet na Índia

*Animais **comem** fibras ópticas e **atrapalham** projeto de US$ 18 bilhões do governo para universalizar banda larga*
*Retirada ou prisão de símios de cidade sagrada **é descartada**, pois são venerados por muitos fiéis.*

A Índia **lançou** um plano de US$ 18 bilhões para levar a revolução da informação às províncias do país, mas os problemas que os indianos **enfrentam** vêm todos do passado – escassez de eletricidade, cidades congestionadas e mal planejadas e macacos.

[...] Varanasi [cidade da Índia] também é o lar de centenas de macacos que **vivem** nos templos da cidade e **são temidos** e **venerados** pelos fiéis.

Mas os macacos também **devoram** os cabos de fibra óptica estendidos ao longo do rio Ganges. [...]

*Folha de S.Paulo*. São Paulo, 3 maio 2015. Caderno Mercado, p. A21.

Capítulo 3 25

a) Qual é o motivo de, na Índia, não conseguirem expandir a instalação da internet nas províncias?
_____

b) Por que não é tomada nenhuma providência contra os macacos?
_____

c) Explique o que você entendeu desta frase:

> [...] os problemas que os indianos **enfrentam vêm** todos do passado — escassez de eletricidade, cidades congestionadas e mal planejadas e macacos.

_____

d) Observe as formas verbais destacadas na notícia. Qual é o tempo predominante?
_____

e) Transcreva a oração da notícia em que a forma verbal não está no tempo que você apontou no item anterior. Indique em que tempo essa forma se encontra.
_____

f) Reescreva a frase a seguir, alterando os verbos para o pretérito, indicando um fato acabado, concluído.

> Animais **comem** fibras ópticas e **atrapalham** projeto de US$ 18 bilhões do governo para universalizar banda larga.

_____

g) Reescreva a manchete para dar a ideia de futuro ao fato: "Macaco **atrasa** plano de internet na Índia".
_____

**5.** Releia um trecho do texto "O mundo em um jardim", de Regina Horta Duarte, reproduzido no Capítulo 3 do livro.

> Um marco decisivo da minha passagem da infância à adolescência **foi** a derrubada do jardim de minha casa, em 1977. Apesar de absorvida pelas inquietações da puberdade, **assisti** com tristeza às obras que papai **empreendeu** para construir uma garagem.
> O jardim **tinha sido** meu lugar preferido. [...] **Explorei** o mundo subterrâneo das minhocas e formigas, **colecionei** joaninhas para depois libertá-las [...].
> [...] Os vizinhos **levavam** folhas do sabugueiro para fazer chá. [...]
>
> *Folha de S.Paulo*. São Paulo, 20 mar. 2011. Ilustríssima, p. 9.

a) Em seu relato a escritora afirma que a derrubada do jardim de sua casa foi um *marco decisivo* de uma fase de sua vida. Explique o sentido dessa frase e o que significou esse fato para a autora.
_____
_____
_____

b) Transcreva do trecho os cinco verbos que indicam ação. _____

6. Releia o trecho do texto de Regina Horta Duarte reproduzido na atividade 5.
Nesse trecho predominaram as formas verbais no pretérito. Conforme estudamos no Capítulo 3, as formas verbais no pretérito podem expressar aspectos diferentes. Reveja os aspectos que o pretérito pode indicar:

| A. Pretérito perfeito: ação iniciada, terminada, concluída no passado. |
| --- |
| B. Pretérito imperfeito: ação habitual, frequente no passado. |
| C. Pretérito mais-que-perfeito: ação anterior a outra ação também no passado. |

a) Escreva abaixo, para cada forma verbal do texto, a letra correspondente ao aspecto que o pretérito empregado expressa no texto:

- foi (   )
- assisti (   )
- empreendeu (   )
- tinha sido (   )
- colecionei (   )
- levavam (   )

b) Qual é o aspecto de pretérito predominante no trecho? Explique.

_____

# Ortografia: desafios

## Acentuação gráfica

1. Escreva a regra de acentuação que se aplica a cada grupo de palavras. Se precisar, consulte o quadro com as regras de acentuação, na página 300 de seu livro.

   a) você — sofá — ninguém — carijó. _____

   b) céu — fogaréu — caubói — anzóis — véu. _____
   _____

   c) difícil — horrível — louvável — fóssil. _____

   d) órgão — órfã — órfão — sótão — ímã. _____

   e) saída — saúde — baú — faísca — reúne — baía — caí. _____
   _____

   f) fôlego — sólido — excêntrico — fantástico — lâmpada. _____

2. Leia as frases a seguir e escreva o acento gráfico nas palavras em que for necessário.
   a) Muitas pessoas mantem baldes para guardar agua da chuva.
   b) Nas grandes cidades serão usadas lampadas mais economicas para reduzir o consumo de energia.
   c) Ninguem viu quando os ultimos vagões do trem se soltaram e descarrilharam.
   d) O virus Ebola matou muitas pessoas na Africa e deixou muitas crianças orfãs.

# Capítulo 4

## Verbo (II)

Para relembrar:

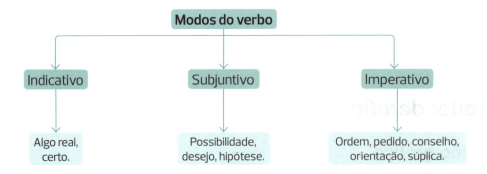

1. Releia um trecho do texto *Duas viagens ao Brasil*, de Hans Staden, que está na página 134 de seu livro:

> O mar ficou muito agitado, pois o vento sul **chocava-se** contra as ondas do norte. **Ficou** também tão escuro que **não se podia ver** nada. O pessoal **temia** os enormes raios e as fortes trovoadas. Ninguém **sabia** onde se segurar para enrolar as velas. Todos **pensávamos** que **nos afogaríamos** naquela noite. Mas Deus **quis** que o tempo **mudasse** e **melhorasse**. [...]
>
> STADEN, Hans. *Duas viagens ao Brasil*: primeiros registros sobre o Brasil. Porto Alegre: L&PM Pocket, 2008.

a) O livro do viajante Hans Staden relata suas aventuras nos primeiros tempos da colonização do Brasil. Esse trecho relata um momento de tempestade em alto-mar. Observe os verbos assinalados e responda: qual é o tempo predominante empregado pelo narrador para contar os fatos?

_____

b) Releia as formas verbais a seguir, empregadas no trecho:

| chocava-se | não se podia ver | temia | sabia | pensávamos |

Essas formas verbais foram empregadas no pretérito imperfeito do indicativo. Expressam:
- Fatos que ocorreram durante a tempestade em um dado momento apenas. ( )
- Fatos que poderiam acontecer, caso a tempestade aumentasse. ( )
- Fatos que estavam acontecendo continuamente durante a tempestade. ( )
- Fatos contados no passado, mas que ocorreram até o momento presente. ( )

28

c) Releia a frase e observe o uso dos verbos destacados:

Mas Deus **quis** que o tempo **mudasse** e **melhorasse**.

As formas *mudasse* e *melhorasse* estão no pretérito do subjuntivo. O subjuntivo é o modo do verbo que geralmente indica um desejo, uma hipótese, que pode ou não se tornar real. Pode-se afirmar que, nessa frase, as formas verbais do subjuntivo indicam o desejo, no passado, de algum ser? Nesse contexto, o desejo parece se tornar real? Explique.

_____

_____

**2.** Leia a tira a seguir.

WALKER, Mort. Recruta Zero. *O Estado de S. Paulo*. São Paulo, 6 fev. 2015. Caderno 2, p. C4.

a) No primeiro quadrinho, a que tipo de serviço o senhor se refere ao saudar os soldados?

_____

b) Na fala do segundo quadrinho, a palavra *você* está com destaque. Qual é a provável razão disso?

_____

c) Releia a fala e, a seguir, copie o que se pede.

— Se ele **visse** o tipo de serviço que você **faz**, não **ficaria** tão grato!

• a(s) forma(s) verbal(ais) que indica(m) fato real, ação que ocorre efetivamente: _____

• a(s) forma(s) verbal(ais) que indica(m) algo incerto, hipotético: _____

**3.** Leia a tira a seguir.

SCHULZ, Charles M. Minduim. *O Estado de S. Paulo*. São Paulo, 9 jun. 2015. Caderno 2, p. C2.

a) Leia dois sentidos possíveis para a palavra *gororoba*:

> **gororoba**
> 
> **1.** refeição, comida; **2.** comida malfeita e/ou de má qualidade; bucha, grude [...]
> 
> INSTITUTO ANTONIO HOUAISS. *Dicionário eletrônico Houaiss da língua portuguesa*. Rio de Janeiro: Objetiva, 2009.

Em qual dos dois sentidos a personagem Lucy empregou essa palavra no primeiro quadrinho?

_____

_____

Capítulo 4

b) Releia a fala de Lucy:

— Vamos lá, **experimenta** (1). Se você não **tiver** (2) dinheiro, **paga** (3) no cartão.

Em sua fala, Lucy emprega três formas verbais, cada uma delas em um modo verbal diferente. Leia os modos a seguir e, na frente de cada um deles, escreva o número da forma verbal em que é usado na frase.

• Indicativo: expressa algo real, certo. ( )

• Subjuntivo: expressa algo possível, hipótese. ( )

• Imperativo (informal): pedido. ( )

c) No quarto quadrinho, Lucy, indignada, faz uma afirmação enfática. Copie a seguir a forma verbal empregada e indique o modo que ela expressa para dar ênfase ao que Lucy pensa sobre Snoopy, o cão. Explique esse uso.

_____

_____

_____

4. Leia a tira a seguir.

WATTERSON, Bill. O melhor de Calvin. *O Estado de S. Paulo*. São Paulo, 1º fev. 2015. Caderno 2, p. C6.

a) Se lermos apenas o primeiro quadrinho, o que a fala de Calvin pode expressar?

_____

b) Releia a fala do tigre no terceiro quadrinho:

Quem sabe **se você lavasse** as mãos.

Qual é o modo da forma verbal destacada? Explique.

_____

_____

c) A fala do tigre relida no item **b** desta questão vale-se do modo verbal indicado para expressar:

• A ideia de algo certo, inevitável. ( )   • Uma possibilidade, uma sugestão. ( )

• Uma ordem, um comando. ( )   • Uma ironia. ( )

Capítulo 4

# Ortografia: desafios

## Monossílabos tônicos e monossílabos átonos

Reveja a regra de acentuação dos monossílabos tônicos:

> Os **monossílabos tônicos** são acentuados quando terminam em *a, e, o*, seguidos ou não de *s*.

Os monossílabos átonos não são acentuados.
São considerados monossílabos átonos:

- artigos: *o, os, a, as, um, uns*;
- conjunções: *mas, e, pois, nem, ou*, etc.;
- pronomes oblíquos: *me, te, se, lhe, o, os, a, as*, etc.

▪ Reescreva as frases a seguir e acentue os monossílabos destacados quando houver necessidade.

a) As **mas** notícias pegaram a todos nós de surpresa, **mas** soubemos manter a calma para decidir o que fazer.

_____

b) O jogador **da** uma olhada rápida para a lateral, percebe um espaço e **da** um lance para o companheiro **da** esquerda fazer o gol.

_____

c) Mesmo diante da seca, a **fe** do povo do sertão nordestino os mantém esperançosos.

_____

d) Não **de** folga para o cuidado: a economia **de** água tem **de** aumentar.

_____

e) Não adianta apenas sentir **do** de pessoas necessitadas; é preciso ajudá-las a sair **do** estado em que se encontram.

_____

f) O tempo seco e as estradas sem asfalto aumentam o **po** que chega a deixar a visibilidade comprometida.

_____

## Acento diferencial

O uso do acento para diferenciar, distinguir o sentido das palavras, só é **obrigatório** nas palavras indicadas no quadro a seguir.

| Com acento | Sem acento |
| --- | --- |
| pôr (verbo) | por (preposição) |
| pôde (pretérito do verbo *poder*) | pode (presente do verbo *poder*) |

Capítulo 4 — 31

**1.** Na foto abaixo, leia o título de uma matéria publicada em jornal:

O assunto dessa matéria é a nova geração de *designers* brasileiros. Segundo a reportagem, ela conhece melhor o mercado e faz parcerias com empresas para ter destaque. A cadeira e a luminária no alto, à esquerda, são de Bruno Faucz; mais abaixo, há *design* de Eduardo Bortolai; à direita, há peças de Cadu Silva.

*Folha de S.Paulo*. São Paulo, 22 fev. 2015. Caderno Imóveis, p. 4.

Compare o uso da palavra em destaque no título acima com o uso dela nesta frase:

A escola **forma** indivíduos mais preparados para o mercado de trabalho.

**design**: desenho.
**designer**: desenhista.

Segundo o Novo Acordo Ortográfico da Língua Portuguesa, podemos utilizar:

- a palavra *forma* (com a vogal *o* aberta) como sinônimo de feitio ou para referir a forma conjugada do verbo *formar*;
- a palavra *fôrma* (com a vogal *o* fechada) como sinônimo de molde, recipiente que se usa na culinária, em que se enformam alimentos para serem cozidos.

Qual é o sentido em que foi empregada a palavra em discussão no título da matéria?

---

**2.** Leia a explicação dada por um especialista sobre *forma* e *fôrma*:

> Acentuam-se, **facultativamente:**
> a) A palavra *fôrma* (substantivo), distinta de *forma* (substantivo); 3ª pessoa do singular do presente do indicativo ou 2ª pessoa do singular do imperativo do verbo *formar*.
> Adendo: A grafia *fôrma* (com acento gráfico) deve ser usada apenas nos casos em que houver ambiguidade. [...]
>
> BECHARA, Ivanildo. Disponível em: <www.academia.org.br/abl>. Acesso em: 23 jun. 2015.

A utilização do acento diferencial é facultativa desde a entrada em vigor do Novo Acordo Ortográfico. Ser facultativo significa que quem escreve pode ou não empregar o acento. Qual é a provável razão de ter sido usado no título da matéria jornalística?

# Conhecimento em teste

**Texto 1**

SOUSA, Mauricio de. *Turma da Mônica*. São Paulo: Panini Comics.

1. Observe a pontuação empregada nas falas dos quadrinhos. Pode-se afirmar que, em geral:
   a) A pontuação foi empregada para indicar as pausas na leitura. (   )
   b) A pontuação foi empregada apenas para evitar que o leitor leia errado o texto escrito. (   )
   c) A pontuação foi empregada para indicar o sentido das palavras no texto. (   )
   d) A pontuação foi empregada para aproximar a escrita da expressividade real da fala. (   )

**2.** As reticências são empregadas no terceiro quadrinho porque a personagem:
   a) Esqueceu o que ia dizer. ( )
   b) Cansou de repetir a mesma palavra. ( )
   c) Dormiu enquanto falava. ( )
   d) Ficou surpresa com o que aconteceu. ( )

**3.** Segundo o que Mônica leu no livro, o segredo da levitação é a concentração e o controle da mente. Observe os detalhes do último quadrinho. A imagem revela que seus amigos conseguiram levitar:
   a) Com muito esforço de concentração e poder da mente. ( )
   b) Depois de um cansativo exercício de pensar sobre o que desejavam. ( )
   c) Apenas por se concentrar no que mais desejavam. ( )
   d) Sem esforço, porque o que queriam eram coisas fáceis. ( )

### Texto 2

SCHULZ, Charles M. Minduim. *O Estado de S. Paulo*. São Paulo, 24 set. 2014. Caderno 2, p. C6.

**1.** Observe os detalhes do primeiro quadrinho. A menina brinca de ser uma médica especialista em doenças:
   a) do estômago ( )
   b) do ouvido ( )
   c) da mente ( )
   d) do coração ( )

**2.** Ao afirmar que "a comunicação com o paciente é uma necessidade óbvia", a personagem quer dizer que:
   a) Todo médico deve ser um especialista nas tecnologias da comunicação. ( )
   b) Saber comunicar-se é uma condição essencial ao exercício da profissão de médico. ( )
   c) Todo o mundo sabe o que é comunicar-se. ( )
   d) A comunicação é uma necessidade e o paciente deve desenvolver essa capacidade. ( )

**3.** Releia a fala do terceiro quadrinho. Nessa fala a menina:
   a) Defende a ideia de que os médicos precisam se aperfeiçoar muito em comunicação para serem médicos. ( )
   b) Argumenta que quem quiser ser médico deve estudar comunicação. ( )
   c) Conclui que todos os médicos dominam a capacidade de ouvir. ( )
   d) Conclui que ela é médica porque sabe ouvir o paciente. ( )

**4.** O efeito de humor na tira é produzido:
   a) Pela contradição entre o que a menina fala e o que faz. ( )
   b) Pela expressão do rosto de Minduim no último quadrinho. ( )
   c) Por ela falar demais e cansar Minduim. ( )
   d) Por falar muito e cobrar muito pouco por uma consulta. ( )

# Capítulo 5

## Verbo (III)

Para relembrar:

**Emprego do tempo presente**

- Para indicar fato ou estado **habitual**, contínuo, **frequente**.
- Para indicar fato que ocorre no **momento** da situação de fala.
- No lugar do pretérito sugerindo a **atualidade** dos fatos narrados para causar mais impacto, em especial quando usado como **presente histórico**.
- Para indicar ação próxima, **posterior** à situação de fala ou de registro.

**1.** Leia a capa da revista *Galileu* e coloque em teste a aplicação do que você aprendeu sobre o emprego do tempo presente:

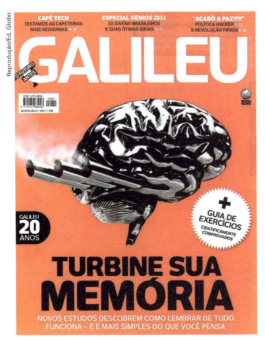

a) A manchete de capa está no modo:
   • indicativo ( )   • subjuntivo ( )   • imperativo ( )

b) Sabendo que *turbinar* significa 'reforçar, elevar a uma determinada potência', percebe-se que a ilustração da capa combina com a manchete porque traz:
   • a representação da memória como parte do cérebro. ( )
   • o cérebro junto à fumaça saindo de escapamentos. ( )
   • o cérebro ilustrado como se tivesse sido turbinado. ( )

c) No subtítulo da manchete de capa "Novos estudos descobrem como lembrar de tudo. Funciona — e é mais simples do que você pensa.", o emprego do tempo presente indica que, em relação à data de publicação da revista, os fatos:
   • são atuais. ( )
   • são frequentes. ( )
   • são antigos. ( )
   • ocorrem depois da publicação da revista. ( )

d) Se a intenção não fosse chamar a atenção do leitor para a atualidade do assunto, os verbos do subtítulo da manchete poderiam estar no tempo:
   • futuro. ( )   • presente. ( )   • pretérito. ( )

35

**2.** Leia a página com o índice das matérias publicadas nesse número da revista *Galileu*:

Revista *Galileu*. n. 241. São Paulo: Globo, ago. 2011.

a) Copie da parte destacada em vermelho:
   • o título da matéria e o subtítulo que não utilizam nenhuma forma verbal:

   _____

   _____

   • um título em que haja uma forma verbal no tempo presente com ideia de ação habitual, frequente:

   _____

   _____

b) Releia este balão de fala e responda às questões que seguem.

- Qual é o tempo das formas verbais destacadas?
  _____

- Qual das alternativas a seguir justifica o emprego desse tempo verbal? Faça um X na alternativa correta.
  - ações habituais, frequentes (  )
  - ações que ocorrem no momento da fala (  )
  - ações no presente para dar ideia de atualidade do fato noticiado (  )
  - ações posteriores à situação de fala ou de registro (  )

c) Copie do quadro a seguir o título da matéria que tem um verbo no imperativo.
_____

d) A forma verbal em destaque no trecho abaixo está no presente ou no passado? Explique.

Ativistas anônimos: **Entrevistamos** os principais grupos envolvidos com os recentes ataques *hackers* no Brasil

_____
_____
_____

e) Copie a **forma verbal** e o **número da página** em que o título da matéria traz:

| Verbo no futuro | Verbo no pretérito | Verbo no presente |
|---|---|---|
|  |  |  |
|  |  |  |
|  |  |  |
|  |  |  |

Capítulo 5 37

f) Copie o título em que a forma verbal **no presente** indica fato, ação ou estado:

| Habitual, frequente | Que ocorre no momento da situação de fala | Utilizado no lugar do pretérito para dar ideia de atualidade e causar mais impacto | Posterior à situação de fala ou de registro |
|---|---|---|---|
| | | | |
| | | | |
| | | | |
| | | | |
| | | | |
| | | | |
| | | | |

Para relembrar:

**Verbo**

Formas nominais geralmente não sofrem flexão de tempo, número ou pessoa.

- **Infinitivo**: estud**ar**
- **Gerúndio**: estud**ando**
- **Particípio**: estud**ado**

**1.** Reescreva os títulos das matérias publicadas na revista *Galileu*, flexionando os verbos destacados na 1ª pessoa do plural. Faça as mudanças necessárias para que continuem com sentido.

a) **Duvide** da Ciência: Por que você não **deve** acreditar em tudo o que **lê** em pesquisas.

_____

_____

b) Você **tem** que conhecer o rapper que cria rimas com a teoria de Charles Darwin.

_____

_____

**2.** Copie dos títulos da atividade anterior as locuções verbais. _____

**3.** Essas **locuções verbais** foram compostas com uma forma nominal. Qual? _____

**4.** Como você localizaria em um dicionário **cada um dos verbos** que, junto a essa forma nominal, compuseram as locuções verbais presentes nesses títulos?

a) deve: _____  b) tem: _____

**5.** Divirta-se com a leitura da história em quadrinhos reproduzida a seguir e responda às questões que seguem.

SOUSA, Mauricio de. *Chico Bento*. n. 17. Caixa Turma da Mônica. Coleção histórica. v. 17.

a) Por quem você acha que Papa-Capim está apaixonado? Com base em que elementos da história é possível supor isso?

_____
_____
_____
_____
_____
_____

b) Copie da história o texto de um balão de fala em que aparecem as seguintes formas nominais:

• infinitivo:
_____
_____
_____

• gerúndio:
_____
_____
_____

• particípio:
_____
_____
_____

Capítulo 5 **39**

**6.** Você leu a capa e o índice da revista *Galileu* que tinha como manchete a frase: "Turbine sua memória". Leia agora um trecho dessa matéria.

> **1. Dê um tempo**
> Calcular intervalos entre sessões de estudo ajuda a lembrar na hora da prova.
>
> **2. Lembre enquanto aprende**
> Recordar algo que você recém aprendeu é chave pra fixar o conteúdo.
>
> **3. Durma de tarde**
> Cochilar depois do almoço é um santo remédio: ajuda até a memória.
>
> **4. Abuse da *comic sans***
> Fontes difíceis de ler ajudam o cérebro a guardar o que está escrito.

a) Observe que nos itens 1, 2, 3 e 4 do texto foi empregado o modo imperativo. Explique por que foi feita essa escolha.

_____

_____

b) Copie os verbos que estão no modo imperativo: _____

c) Copie os verbos que estão no infinitivo: _____

d) Preencha o quadro com as formas nominais dos seguintes verbos:

| Verbo | Infinitivo | Gerúndio | Particípio |
|---|---|---|---|
| dê | | | |
| lembre | | | |
| é | | | |
| durma | | | |

## Ortografia: desafios

### e / i na palavra

Veja como um dicionário chama a atenção do leitor para a semelhança na pronúncia de palavras com significados diferentes, registrando no final do verbete a palavra que tem pronúncia semelhante, mas significado diferente.

**delatar** v. (1671) **1** t.d.bit. e pron. denunciar a responsabilidade de (alguém ou si mesmo) por crime ⟨durante o interrogatório, delatou o comparsa (ao delegado)⟩ ⟨cansado de fugir, delatou-se à polícia⟩ **2** t.d.bit. revelar (delito ou fato relacionado a um delito) ⟨d. o crime (às autoridades)⟩ ⟨d. o esconderijo dos bandidos (ao investigador)⟩ **3** t.d. fig. mostrar inadvertidamente; deixar perceber; evidenciar ⟨os gestos bruscos delatavam sua inquietação⟩ ⊙ ETIM rad. do part.pas. *delātum* do v.lat. *defērre* 'levar de um lugar para outro, desviar do rumo, destruir, conceder, declarar, denunciar', sob a f. delat- + -ar ⊙ SIN/VAR ver sinonímia de *acusar* ⊙ ANT ver antonímia de *acusar* ⊙ PAR *dilatar*(todos os tempos do v.).

**dilatar** v. (sXV) **1** t.d. e pron. aumentar (pela elevação da temperatura) o volume ou as dimensões de (um corpo) ⟨d. um metal⟩ ⟨os corpos dilatam-se ao calor⟩ **2** t.d. e pron. p.ana. aumentar, expandir(-se), estender(-se) [em amplitude, distância, capacidade, diâmetro, abertura, alcance etc.] ⟨d. um domínio⟩ ⟨d. os pulmões⟩ ⟨dilatou a vista à procura da caça⟩ ⟨à medida que convalescia, dilatava as caminhadas⟩ ⟨os ventrículos contraem-se e dilatam-se⟩ **3** t.d. e pron. fig. fazer crescer ou crescer; desenvolver(-se) ⟨d.(-se) o poder de uma autoridade⟩ **4** t.d. e pron. fig. fazer durar ou durar; prolongar(-se) ⟨a cirurgia dilatou sua vida⟩ ⟨dilatou tanto a conferência, que os ouvintes se retiraram⟩ ⟨a visita dilatava-se⟩ **5** t.d. fig. adiar, diferir, retardar ⟨d. um prazo, uma decisão⟩ **6** t.d. e pron. fig. difundir(-se), propagar(-se), espalhar(-se) ⟨d.(-se) uma doutrina⟩ ⊙ ETIM lat. *dilăto,as, āvi,ātum,āre* 'id.' ⊙ SIN/VAR ver sinonímia de *adiar* e *inchar* ⊙ ANT comprimir, condensar, contrair, reduzir; ver tb. antonímia de *inchar* ⊙ PAR *delatar*(todos os tempos do v.).

HOUAISS, Antonio; VILLAR, Mauro de Salles. *Minidicionário Houaiss da língua portuguesa*. 3 ed. Rio de Janeiro: Objetiva, 2009.

- Complete a coluna em que falta o significado da palavra. Se tiver dúvida, consulte o dicionário. Siga o modelo.

| Mesmos sons, mas escritos com e / i ||
|---|---|
| Escrito com e | Escrito com i |
| delatar (denunciar alguém por um crime, por um delito) | dilatar (aumentar pela elevação da temperatura o volume e a dimensão de um corpo) |
| vadear (atravessar rio ou lamaçal) | vadiar |
| entender | intender (administrar, dirigir, superintender) |
| deferimento (ato ou efeito de atender o que foi solicitado, despacho favorável, atendimento) | diferimento |
| peão | pião (brinquedo geralmente de madeira com ponta metálica) |
| ante (prefixo que significa anterior) | anti |
| descrição | discrição (ser discreto) |
| elegível (que pode ser eleito) | ilegível |
| descriminar | discriminar (distinguir) |
| despensa | dispensa (licença, isenção) |
| emigrar (sair do país de origem) | imigrar |

## o / u na palavra

- Complete a coluna em que falta o significado da palavra. Se tiver dúvida, consulte o dicionário. Siga o modelo.

| Mesmo som, mas escrito com o / u ||
|---|---|
| Escrito com o | Escrito com u |
| comprimento (medida) | cumprimento (gesto de cortesia) |
| soar (fazer ouvir) | suar |
| assoar (limpar a secreção nasal) | assuar |
| bocal (abertura de vaso) | bucal |
| coringa (tipo de vela de alguns barcos) | curinga |

Capítulo 5

## -ao / -au / -al em final de sílaba

■ Complete a coluna em que falta o significado da palavra. Se tiver dúvida, consulte o dicionário. Siga o modelo.

| Mesmos sons, mas grafados com ao / au / al |||
|---|---|---|
| Escrito com *ao* | Escrito com *au* | Escrito com *al* |
|  | **au**to (peça teatral de um ato) | **al**to (de grande extensão vertical, elevado) |
|  | **cau**ção _____ | **cal**ção (calça curta) |
|  | **cau**da (rabo) | **cal**da _____ |
|  | **mau** (adjetivo, contrário de *bom*) | **mal** _____ |
|  | **sau**dade (sentimento melancólico) | **sal**do _____ |
| **lao**siano (relativo à República Popular Democrática de Laos) | **lau**da _____ |  |
| **mao**ísmo (relativo a Mao, líder da revolução socialista chinesa) | **mau**ricinho _____ | **mal**dade (qualidade ou caráter de mau) |
|  | **pau** _____ | **pal**co (tablado destinado a representações) |

## -éu / -el em final de palavras

Os adjetivos derivados de substantivos pelo acréscimo de sufixo têm seu final escrito com **–el**.
Confira:
- saúde (substantivo) ⟶ saudáv**el**
- amigo (substantivo) ⟶ amigáv**el**

É bem menor o número de palavras com final **–eu**, como chap**éu**, v**éu**, l**éu**.

■ Escreva nos espaços a seguir o final das palavras. Use **–éu** ou **–el**.

- visív_____
- c_____
- impensáv_____

- fi_____
- menestr_____
- ton_____

- admiráv_____
- g_____
- fogar_____

- povar_____
- hot_____
- cascav_____

Capítulo 5

## -ou / -ol no meio da palavra

■ Leia as palavras a seguir em voz alta e preencha as lacunas com as letras **u** ou **l**. Verifique se os dois usos correspondem ao mesmo som fechado /ou/. Depois, copie cada palavra na coluna correspondente. Se tiver dúvida, consulte um dicionário.

> co___cha, teso___ra, co___ve, mo___dar, go___fo, po___vo, po___so, fro___xo, bo___sa, co___meia, o___vir, so___vente, go___fe, so___dado, vo___tagem, o___riço, bebedo___ro, empo___gar, fo___gado, ro___dana, co___ro, ago___ro, lo___ra, mo___ro, salmo___ra, mo___dura, po___pa, co___chão, fo___clore, esco___tar, to___do, cho___riço, so___tar, envo___ver

| Som /ou/ ||
|---|---|
| Escrita com *ol* | Escrita com *ou* |
| | |
| | |
| | |
| | |
| | |
| | |
| | |

## -io / -il / -iu em final de palavras

Os finais de palavras escritas com as letras **-io**, **-il**, **-iu** têm pronúncia tão próximas que, muitas vezes, só o contexto pode ajudar a decidir a escrita.

Veja como essa proximidade foi aproveitada para chamar a atenção para a exposição fotográfica do artista português António Castilho em homenagem ao aniversário da Revolução dos Cravos, ocorrida no mês de abril de 1974 e que libertou o povo português de anos de ditadura.

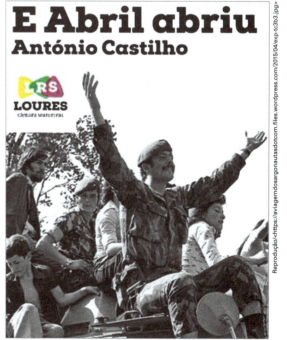

Cartaz da exposição de fotografias "E Abril abriu", de António Castilho, de abril a junho de 2015.

Capítulo 5 · 43

**1.** Leia as palavras em voz alta e complete as lacunas com as letras **l**, **o**, **u**. Depois, copie cada palavra na coluna correspondente. Se tiver dúvida, consulte um dicionário.

úti___, cai___, barri___, férti___, áudi___, arrepi___, senti___, psi___, iníci___, dóci___, bani___, ani___, ti___, cobri___, vi___, répti___, cani___, cuspi___ cálci___, gêni___, páti___, febri___, fri___, fali___, débi___, vestígi___, fugi___, agi___, séri___, inseri___, cíli___, horári___, fáci___, versáti___, ti___, sacudi___, delíri___, voláti___, relógi___, comíci___, refi___, síri___, táti___, desvi___, exíli___, vi___, tingi___, alhei___, frági___

| Mesmo som final |||
|---|---|---|
| Escrita com *iu* | Escrita com *il* | Escrita com *io* |
|  |  |  |
|  |  |  |
|  |  |  |
|  |  |  |
|  |  |  |

Observe que, além de **abril** e **abriu**, há outras palavras que têm sons muito parecidos, embora sejam escritas de modo diferente e tenham sentido diferente:

- **til** (acento gráfico) e **tio** (parente);
- **vil** (indivíduo mesquinho) e **viu** (3ª pessoa do singular do pretérito perfeito do indicativo do verbo *ver*).

Observe também que as palavras terminadas em **–iu** são, na maioria, formas da 3ª pessoa do singular do pretérito perfeito do indicativo. Confira.

| Verbo | 3ª pessoa do singular do pretérito perfeito do indicativo |
|---|---|
| *Ver* e seus compostos | viu, reviu, previu, anteviu, etc. |
| Verbos da 3ª conjugação *partir, construir, instruir, sair, destruir, mentir* | partiu, construiu, instruiu, saiu, destruiu, mentiu |
| | |
| | |
| | |

**2.** Escreva, nas linhas da tabela acima, a 3ª pessoa do singular do pretérito perfeito do indicativo dos seguintes verbos:

cair  sentir  banir  cobrir  cuspir  falir  fugir  inserir  restituir  suprimir  sacudir  tingir  agredir

44  Capítulo 5

# UNIDADE 3

# Capítulo 6

## Frase e oração

Para relembrar:

- Releia um trecho do índice da revista *Galileu*.

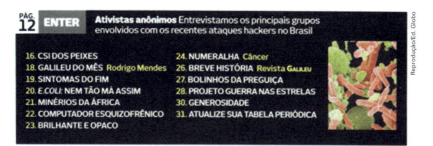

1. Copie as duas frases com verbos, circule-os e escreva diante de cada uma o nome que recebem de acordo com a sua classificação.

   _____
   _____
   _____
   _____

2. Como as outras frases que aparecem nesse trecho do índice podem ser classificadas? Por quê?

   _____
   _____

45

**3.** Se o editor da revista quisesse uniformizar a escrita das frases, como deveriam ser escritas as duas únicas que contêm verbos? Reescreva-as eliminando os verbos sem que percam o sentido.

a) "Entrevistamos os principais grupos envolvidos com os recentes ataques hackers no Brasil."

_____

_____

b) "Atualize sua tabela periódica."

_____

_____

Para relembrar:

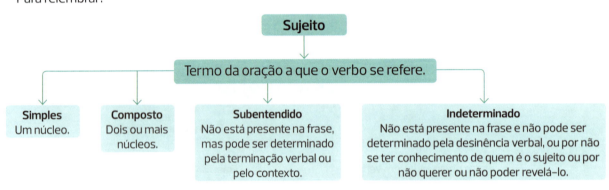

Você já sabe que uma oração ou frase verbal é organizada em torno de dois termos: sujeito e predicado. Sabe também que é o verbo que ajuda a localizar o sujeito, ao fazer referência a ele pela flexão de pessoa (1ª, 2ª ou 3ª) e pelo número (singular ou plural).

**1.** Nas orações a seguir, que trazem informações sobre dinossauros, circule os verbos, sublinhe com um traço o sujeito e com dois traços o predicado.

a) O microraptor era um dinossauro bem pequeno.

b) Ele vivia na Ásia, entre galhos de árvores.

c) Da evolução de pequenos dinossauros carnívoros surgiram as aves.

d) Teriam evoluído com o tempo.

e) Os dinossauros se reproduziam por meio de ovos.

f) Faziam ninhos em grandes buracos na terra.

g) Em defesa do ninho, certas fêmeas tomavam conta deles o tempo todo.

h) Um achado recente é o *Maxakalisaurustopai*, um titanossauro de 13 metros de comprimento.

i) Ele vivia na região de Minas Gerais.

j) Na queda de um asteroide, uma nuvem de poeira impediu a passagem da luz do sol.

k) Esse fato provocou a extinção de vários seres vivos.

Adaptado de: *Recreio*, v. 4. São Paulo: Abril, 2013. p. 16–18.

**2.** Leia o depoimento de uma conhecida escritora francesa sobre o papel dos livros em sua vida:

Quando eu era criança, quando eu era uma adolescente, os livros me salvaram do desespero: aquilo me convenceu de que a cultura era o maior dos valores.

In: Revista *Língua Portuguesa*, n. 101, São Paulo: Segmento, mar. 2014. p. 7.

Simone de Beauvoir (1908-1986), escritora e filósofa francesa.

a) Reescreva o texto na 1ª pessoa do plural, como se vários escritores dessem juntos esse depoimento. Faça as adaptações necessárias:

___

___

b) No depoimento, a palavra "quando" se repete duas vezes. Certamente existiu uma intenção de a escritora ter construído sua declaração dessa maneira.
Faça um X na(s) alternativa(s) que talvez possa(m) explicar o uso dessa repetição no depoimento dela:

- a escritora não conseguiu organizar bem seu depoimento em relação ao tempo. ( )
- a escritora quis enfatizar momentos de sua vida em que se convenceu da importância da cultura, dos livros. ( )
- a escritora quis mostrar que os livros só foram importantes em dois períodos de sua vida. ( )
- a escritora quis mostrar que os livros não foram importantes em outros períodos de sua vida. ( )

**3.** Leia o título e o olho de uma notícia que mostra que não é de hoje que o cão é o melhor amigo do homem:

> ### Cachorros ajudaram a derrotar neandertais
>
> *Quando seres humanos e cachorros primitivos se uniram na última Era Glacial, eles criaram um predador invencível – e não sobrou neandertal para contar a história.*
>
> Revista *Superinteressante*, maio 2015.

Escreva, diante de cada verbo retirado desse texto, seus respectivos sujeito e núcleo e também a classificação do sujeito.

a) ajudaram a derrotar _____

b) uniram _____

c) criaram _____

d) sobrou _____

e) contar _____

## Ortografia: desafios

Você estudou no item 6 da *Unidade Suplementar* a escrita e os sons da fala: **am /ão**. E sabe que há sons que são escritos com letras diferentes, mas são pronunciados de forma igual ou semelhante.

Vamos relembrar:

- /ãum/
  - **ão** → como em *escorregão*
  - **am** → como em *escorregam*

- **–ão** → terminação das formas verbais no futuro
- **–am** → terminação das formas verbais no pretérito

Capítulo 6 — 47

1. Leia a tirinha reproduzida a seguir.

BROWNE, Dik. Hagar. *Folha de S.Paulo*. São Paulo, 7 jun. 2015. Disponível em: <www1.folha.uol.com.br/ilustrada/cartum/cartunsdiarios/?cmpid=menulate#7/6/2015>. Acesso em: jun. 2015.

a) Releia o último balão do segundo quadrinho. A que duas vitórias a personagem se refere?

b) Segundo a tirinha, o que faz os inimigos se renderem?

c) Reescreva a fala de Hagar do 2º quadrinho no pretérito perfeito do indicativo fazendo as adaptações necessárias para que ela fique com sentido.

2. Leia a tirinha reproduzida a seguir.

BROWNE, Dik. Hagar. *Folha de S.Paulo*. São Paulo, 23 maio 2015. Disponível em: <www1.folha.uol.com.br/ilustrada/cartum/cartunsdiarios/#23/5/2015>. Acesso em: jun. 2015.

a) No segundo quadrinho, Hagar emprega o futuro do presente para responder ao que Helga lhe pergunta: "Não **recusarão**." Por que ele emprega esse tempo verbal?

b) Sabendo que esse tempo verbal é usado quando se tem mais certeza do que vai acontecer, o que o faz ter essa certeza?

c) Reescreva as falas da tirinha no pretérito perfeito do indicativo, isto é, como se as ações já tivessem ocorrido.

48  Capítulo 6

# Conhecimento em teste

### Texto

## Cavalos nunca esquecem as verdadeiras amizades

Kleison Barbosa

Os cachorros que se cuidem! Um estudo da Universidade de Rennes, na França, mostrou que os cavalos podem ser mais leais até que nossos amigos de longa data – desde que bem tratados, é claro.

A pesquisa analisou o comportamento de 20 cavalos anglo-árabes e três franceses em um estábulo em Chamberet, também na França. Os cientistas testaram quão bem os cavalos se lembravam de um treinador do sexo feminino e das instruções que ela havia dado aos bichanos depois de oito meses longe dos animais.

Eles constataram que o animal possui uma excelente memória e que, além de recordar dos "amigos" humanos, mesmo depois de longos períodos distantes, também se lembra de informações complexas (como uma estratégia que aprendeu para resolver algum problema) por dez anos ou mais.

O resultado mostrou que os cavalos são leais, inteligentes e têm memórias de longa duração. Mas, cuidado: essas lembranças são de boas e más experiências. Nada de tratar mal o animal, ok?

BARBOSA, Kleison. Cavalos nunca esquecem as verdadeiras amizades. Revista *Superinteressante*. Disponível em: <super.abril.com.br/blogs/cienciamaluca/cavalos-nunca-esquecem-as-verdadeiras-amizades/>. Acesso em: jun. 2015.

1. De acordo com a matéria, os cavalos:
   a) são capazes de se lembrar, por muito tempo, das más experiências vividas e, por isso, os cães devem tomar cuidado com eles. (   )
   b) foram capazes de se lembrar de um "amigo humano", mesmo sem ter contato com ele há muito tempo. (   )
   c) são mais ativos do que os cães. (   )
   d) desenvolvem memória de longa duração quando são treinados por mulheres. (   )

2. A matéria que você leu tem por objetivo:
   a) avisar as pessoas das vantagens da criação de animais mais leais que os cães. (   )
   b) alertar os criadores de cães sobre o comportamento inteligente dos cavalos. (   )
   c) revelar à população que estábulos franceses fazem experiências com animais. (   )
   d) divulgar os resultados de uma pesquisa sobre as habilidades dos cavalos. (   )

3. O trecho que demonstra claramente uma opinião do autor da matéria lida é:
   a) "Cavalos nunca esquecem as verdadeiras amizades." (   )
   b) "[...] pesquisa analisou o comportamento de 20 cavalos anglo-árabes e três franceses em um estábulo em Chamberet, também na França." (   )
   c) "Os cientistas testaram o quão bem os cavalos se lembravam de um treinador do sexo feminino." (   )
   d) "[...] mesmo depois de longos períodos distantes, [o cavalo] também se lembra de informações complexas." (   )

49

# Capítulo 7

## Oração: sujeito e predicado

Para relembrar:

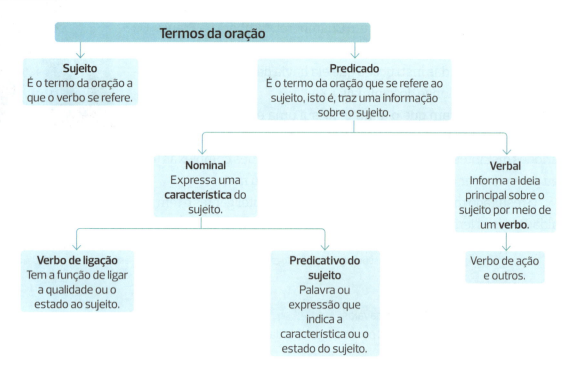

Você estudou que o predicado nominal é muito utilizado para descrever características do sujeito a que ele se refere. Nas construções com predicado nominal, o verbo liga o sujeito a seu predicativo, ou seja, a uma característica dele.

Os principais verbos de ligação são aqueles que podem ser substituídos pelo verbo *ser*: *parecer, estar, ficar, transformar, continuar, permanecer, andar*.

### Sujeito e predicado

1. Leia as frases a seguir, adaptadas da revista *Recreio* (n. 131, p. 24-25). Elas se referem a nosso organismo. Identifique e grife o sujeito de cada frase. Separe-o do predicado com uma barra. Copie o predicado e classifique-o em nominal ou verbal. Siga o modelo.

   > Aproximadamente / 70% do nosso organismo / é formado por água.
   > "Aproximadamente é formado por água": predicado nominal

a) O corpo tem cerca de 35 milhões de células.

b) Os nervos enviam mensagens ao cérebro a uma velocidade de 360 quilômetros por hora.

c) A maioria dos pelos é muito pequena.

d) Só a palma das mãos, a sola dos pés e a boca não têm pelos.

e) Em um dia produzimos saliva suficiente para encher cinco xícaras.

f) Em um dia o corpo perde até dois litros de água pela urina e pelo suor.

g) O fígado é o nosso maior órgão interno.

h) As funções do fígado são muito importantes: filtragem do sangue e ajuda na digestão.

i) O cérebro de um adulto pesa em média 1,4 quilo.

j) É três vezes menor o cérebro de um recém-nascido.

k) Todos nascemos com cerca de 300 ossos.

l) O maior osso é o fêmur.

m) Boa parte dos ossos é formada por uma estrutura leve e esponjosa.

n) Por exemplo, o esqueleto de um homem de 64 quilos pesa mais ou menos 11 quilos.

o) O seu coração tem mais ou menos o tamanho da sua mão fechada.

p) Temos 650 músculos com funções diferentes.

q) O maior órgão do nosso corpo é a pele.

r) No corpo de um adulto existem 200 mil quilômetros de veias, artérias e vasos.

**2.** No quadrinho abaixo, há frases numeradas construídas com predicativos do sujeito. Elas se baseiam no funcionamento do corpo humano. Complete o diagrama ao lado escrevendo, junto ao número correspondente a cada frase, o núcleo do sujeito adequado.

1. A ■ é o maior órgão do nosso corpo.
2. O ■ é responsável pela detecção de 6 800 tipos de cheiro.
3. A ■ do sangue é função do fígado.
4. A ■ é a cavidade de reconhecimento do sabor.
5. Os ■ são responsáveis pelo reconhecimento de 10 milhões de cores.

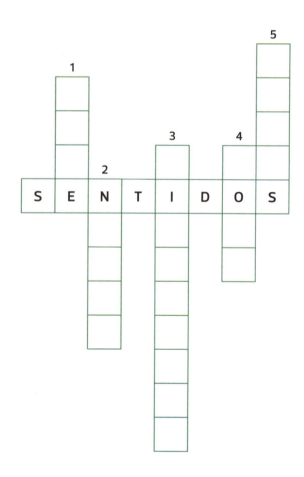

Capítulo 7

## Predicado nominal e predicado verbal

**1.** Na coluna da direita do quadro abaixo, reescreva as orações da esquerda de forma a transformar o predicado nominal em predicado verbal. Sublinhe os verbos e faça as adaptações necessárias.

| Predicado nominal | Predicado verbal |
|---|---|
| 1. O morcego é um mamífero. | |
| 2. Ele não é exatamente bonito. | |
| 3. Sua pele é a base da formação de suas asas. | |
| 4. Como os nossos, são cinco os dedos do morcego. | |
| 5. Seu corpo é peludo. | |
| 6. No morcego, o pelo pode ser preto, cinzento, marrom, bege, branco, amarelo ou vermelho. | |
| 7. São cerca de mil espécies de morcego. | |
| 8. Os morcegos são úteis na reprodução das plantas e na garantia da sobrevivência de várias florestas. | |
| 9. As fezes do morcego são um dos melhores fertilizantes. | |
| 10. Por causa do radar, a escuridão não é um problema para o morcego. | |

**2.** Grife os verbos das frases abaixo e as reescreva transformando o predicado verbal em predicado nominal sem mudar o sentido.

a) A saliva de alguns morcegos tem substâncias úteis para a fabricação de medicamentos.

b) Certas espécies de morcegos manobram com agilidade.

c) Esses mamíferos voam a 56 quilômetros por hora.

d) Eles precisam de muita energia para o voo.

Capítulo 7 — 53

# Ortografia: desafios

## Pontuação e efeitos de sentido

No item 7 da *Unidade Suplementar* do livro foi proposta a você uma reflexão sobre o uso da pontuação e o sentido das frases. Retome esse estudo fazendo as atividades propostas a seguir.

1. Leia esta tira:

DAVIS, Jim. *Garfield, um gato em apuros*. Porto Alegre: L&PM, 2008. p. 36.

Reescreva os pensamentos de Garfield e os pontue de acordo com o sentido deles na tira.

_____

_____

2. Leia a tira a seguir e proceda do mesmo modo: reescreva as frases do gato Garfield pontuando-as.

DAVIS, Jim. *Garfield, um gato em apuros*. Porto Alegre: L&PM, 2008. p. 36.

_____

_____

Depois dessas atividades vizualize os sinais de pontuação:

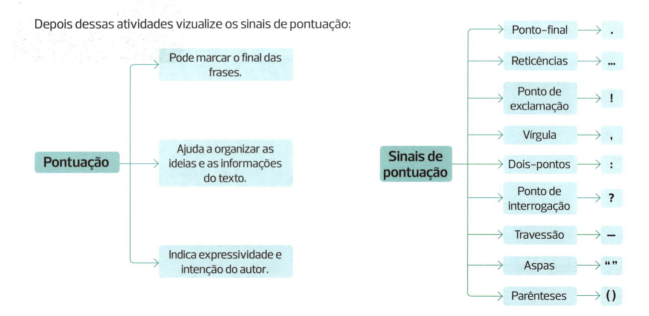

54 Capítulo 7

**3.** Os textos a seguir são **piadas** do livro *Proibido para maiores*, de Paulo Tadeu (editora Matrix). Foram transcritas sem sinal de pontuação e sem o uso de letras iniciais maiúsculas. Reescreva-as pontuando-as e empregando letras iniciais maiúsculas de modo que o texto faça sentido e se perceba o efeito de humor característico das piadas.

a) joãozinho pai se eu apagar a luz você consegue assinar o seu nome claro que sim meu filho joãozinho depois de apagar a luz então assina aqui o meu boletim da escola pai

b) a cobrinha chega em casa e pergunta ao pai papai é verdade que somos venenosas não minha filha mas por que perguntou e a cobrinha é que acabei de morder a língua

c) o menino foi atender ao telefone a pedido de sua mãe que estava recebendo a visita de uma velha amiga mãe é o papai disse bem alto o menino ele quer saber se já pode vir para casa ou se a dona mimosa fofoqueira ainda está aqui

d) o pai estava muito concentrado assistindo ao seu programa de televisão favorito quando o menininho que fazia o dever de casa se aventurou a perguntar-lhe uma coisa papai disse ele onde estão os alpes suíços pergunte a sua mãe respondeu o pai ela é que guarda tudo

Capítulo 7 — 55

# Capítulo 8

## Oração: tipos de predicado

Para relembrar:

1. Leia a sinopse do filme *O pequeno Quinquin*, de Bruno Dumont, 2014.

> O capitão de polícia Weyden investiga a descoberta de uma vaca morta [...] dentro de um galpão. O galpão era alemão e estava abandonado desde a Segunda Guerra Mundial. O pequeno Quinquin é um menino esperto, segue o capitão e parece interessado na história. Mas ele só cria confusão. Esse filme é divertido e inteligente.

Releia esta frase da sinopse e observe a análise dos termos:

a) Releia a frase a seguir e classifique os verbos e os predicados correspondentes. Para isso, nos devidos espaços, copie dos itens abaixo os que forem adequados.

- verbo significativo
- predicado verbal
- verbo de ligação
- predicado nominal

b) Releia o trecho a seguir da sinopse. Observe que nele o pequeno Quinquin é o sujeito das frases. Sublinhe os verbos e indique se são transitivos ou de ligação.

O pequeno Quinquin é um menino esperto, segue o capitão e parece interessado na história.

_____

c) Releia esta frase: "Esse filme é **divertido** e **inteligente**". Escolha a alternativa que indica, na frase, qual é a função das palavras destacadas:
- São atributos do filme. (   )
- São predicativos do sujeito. (   )
- São complementos do verbo de ação. (   )

**2.** Veja a seguir os cartazes de dois filmes. Produza frases com predicativos para esses filmes.

a)

Cartaz da animação *Bob Esponja: um herói fora d'água*, de Paul Tibitt, 2015.

O filme *Bob Esponja: um herói fora d'água* está _____

_____

b)

Cartaz do filme *Terremoto: a falha de San Andreas*, de Brad Payton, 2015.

O assunto desse filme é _____

_____

**3.** Vamos falar de nariz. Leia o quadro abaixo.

| Vestíbulo nasal | Região olfatória | Septo | Muco | Pelos | Conchas nasais |
|---|---|---|---|---|---|
| Vestíbulo é o nome dado aos buraquinhos do nariz. O ar entra por meio dos vestíbulos e segue. | A região olfatória tem milhares de terminações nervosas. A gente identifica os cheiros por meio dessas terminações. | O septo é uma parede que divide o nariz em duas cavidades. Cartilagem e osso formam essa parede. | O muco é a meleca produzida por células do nariz. Ele agarra partículas de sujeira, poluentes, vírus e bactérias. | Os pelos do nariz se movem o tempo todo. Eles parecem uma vassoura. Esses pelos filtram o ar das partículas de sujeira. | As conchas são saliências na parede do vestíbulo. Elas aquecem o ar. Essas conchas servem também para umidificar o ar. |

Fonte das informações: *Recreio*. São Paulo: Abril, 28 maio 2015.

Capítulo 8

Escreva o nome de cada uma das partes do nariz procurando não consultar o quadro.

a) Filtra o ar que respiramos: _____

b) Aquecem o ar para chegar aos pulmões: _____

c) Nome dado aos buraquinhos do nariz: _____

d) Agarra vírus e bactérias: _____

e) Divide o nariz em duas cavidades: _____

f) Por meio dela identificamos os cheiros: _____

**4.** Releia estas definições:

> Vestíbulo é o nome dado aos buraquinhos do nariz.
> O septo é uma parede [...].
> O muco é a meleca produzida por células do nariz.

a) Copie os sujeitos dessas frases: _____

b) Assinale as alternativas que mostram o que a construção dessas frases tem em comum:
- Todos os verbos são de ligação. ( )
- Todos os verbos são de ação. ( )
- Todas as frases têm predicado verbal. ( )
- Todas as frases têm predicado nominal. ( )
- Em todas as frases há predicativos do sujeito. ( )

**5.** Identifique e sublinhe os verbos de cada uma das frases do quadro abaixo. Depois, complete as informações conforme o exemplo dado.

---

A região olfatória <u>tem</u> milhares de terminações nervosas.

sujeito: a região olfatória
verbo: tem
predicado: tem milhares de terminações nervosas

tipo de verbo: transitivo
tipo de predicado: verbal
predicativo do sujeito: (não há)

---

a) O ar entra por meio dos vestíbulos e segue.

sujeito: _____
verbo: _____
predicado: _____

tipo de verbo: _____
tipo de predicado: _____
predicativo do sujeito: _____

b) A gente identifica os cheiros por meio dessas terminações.

sujeito: _____
verbo: _____
predicado: _____

tipo de verbo: _____
tipo de predicado: _____
predicativo do sujeito: _____

Capítulo 8

c) Cartilagem e osso formam essa parede.

sujeito: _____  tipo de verbo: _____

verbo: _____  tipo de predicado: _____

predicado: _____  predicativo do sujeito: _____

d) As conchas são saliências na parede do vestíbulo.

sujeito: _____  tipo de verbo: _____

verbo: _____  tipo de predicado: _____

predicado: _____  predicativo do sujeito: _____

e) O muco agarra partículas de sujeira, poluentes, vírus e bactérias.

sujeito: _____  tipo de verbo: _____

verbo: _____  tipo de predicado: _____

predicado: _____  predicativo do sujeito: _____

f) Os pelos do nariz filtram o ar das partículas de sujeira.

sujeito: _____  tipo de verbo: _____

verbo: _____  tipo de predicado: _____

predicado: _____  predicativo do sujeito: _____

g) Esses pelos parecem uma vassoura.

sujeito: _____  tipo de verbo: _____

verbo: _____  tipo de predicado: _____

predicado: _____  predicativo do sujeito: _____

## Oração sem sujeito

Leia este bilhete, encontrado em uma casa abandonada:

> Faz dois anos que ninguém aparece por aqui. Sinto-me sozinho e amedrontado. Há dois meses que não saio de casa. Aqui chove torrencialmente e anoitece muito cedo. Há muitos perigos por aqui. Morro de medo!

Nesse bilhete há orações com sujeito simples, sujeito subentendido e outras sem sujeito. Nas atividades de 1 a 3 vamos analisar o sujeito das orações desse texto. Para isso, o primeiro passo é encontrar os verbos. Transcreva os verbos das orações do bilhete:

_____

_____

Capítulo 8

1. O passo seguinte é identificar se as orações têm sujeito ou não. Copie as orações no quadro abaixo distribuindo-as nas colunas conforme a classificação do sujeito.

| A. Orações sem sujeito | B. Orações com sujeito simples ou subentendido |
|---|---|
|  |  |
|  |  |
|  |  |
|  |  |
|  |  |

2. O próximo passo é observar por que algumas orações foram consideradas sem sujeito. Transcreva as orações da coluna A do quadro da questão anterior, conforme indicado abaixo. As orações sem sujeito:

   a) Expressam fenômenos da natureza.
   
   _____

   b) São construídas com o verbo *haver* com sentido de 'existir'.
   
   _____

   c) São produzidas com o verbo *haver* ou *fazer* indicando tempo decorrido.
   
   _____

3. O último passo é analisar as orações com sujeito. Para isso, transcreva as orações da coluna B do quadro da questão 1, conforme as indicações abaixo.

   a) Orações com sujeito simples.
   
   _____

   b) Orações com sujeito subentendido: copie essas orações e indique qual é o sujeito delas.
   
   _____
   
   _____

## Ordem frasal e efeitos de sentido no texto

1. Leia esta manchete de jornal. Observe que ela foi escrita na **ordem inversa**: predicado + sujeito.

Capítulo 8

a) Marque com X a alternativa correta. Escrita desse modo, a manchete destaca:
- O número de mortos. (   )
- Os mortos devido ao problema. (   )
- A ação da superbactéria. (   )

b) Reescreva a frase da manchete na ordem direta.

_____

_____

2. Reescreva as manchetes a seguir, mudando a ordem dos elementos de modo a obter o destaque pedido.

a) "Campanha de vacinação contra a gripe acaba na sexta-feira" (Disponível em: <http://zh.clicrbs.com.br>. Acesso em: 17 jun. 2015.)

Destaque a data:

_____

b) A 4ª melhor atração do Brasil é Iguaçu

Destaque a cidade:

_____

c) Há pelo menos um cachorro em quase metade dos domicílios no país

Destaque o lugar:

_____

# Ortografia: desafios

No item 8 da *Unidade Suplementar* do livro, você estudou os usos das palavras parônimas *mas* e *mais*. Pôde observar que:

I. A palavra *mas* indica oposição, introduz uma ideia contrária à anterior. Pode exercer estas funções:

- **Conjunção:** quando liga duas orações que comunicam ideias contrárias. Por exemplo: Eu estudei muito **mas** ainda tenho dúvidas.

- **Substantivo:** quando estiver substantivada, isto é, no lugar de um substantivo, geralmente vem acompanhada de artigo. Por exemplo: Não quero ouvir nem um **mas**. Vá estudar novamente a lição!

II. A palavra *mais* indica maior quantidade, maior intensidade, maior número... Geralmente funciona como:

- **Advérbio:** quando modificar um verbo ou um adjetivo. Por exemplo: Era preciso que ele estudasse **mais**. Sua dedicação aos estudos deveria ser **mais** constante.

- **Pronome indefinido:** quando modificar um substantivo. Por exemplo: **Mais** estudos levam a **mais** conhecimento.

1. Preencha as lacunas com as palavras *mas* ou *mais* dando sentido às frases adaptadas da revista *National Geographic* (n. 175, out. 2014).

a) Ele era enorme. Feio. Mau. E agora está de volta: *Spinosaurus aegyptiacus*, o _____ terrível predador que já existiu.

b) Os maiores dinossauros predadores jamais conviveram, pois pertenceram a épocas e lugares diferentes. _____ eles tinham algo em comum: matavam com eficiência.

c) Apesar de medirem 1 metro e contarem com dentes temíveis, as mandíbulas alongadas do *Spinosaurus* eram bem menos robustas do que as de outros dinossauros predatórios do mesmo porte — _____ apropriadas para agarrar peixes do que para triturar ossos.

d) Os membros dianteiros e a cintura torácica desses animais eram avantajados, _____ os membros traseiros pareciam desproporcionalmente pequenos e finos.

e) O paleontólogo Nizar Ibrahim diz: "Eu tentava vislumbrar todos os ossos, os músculos, os tecidos conetivos [do *Spinosaurus*], tudo. E às vezes conseguia entrevê-lo por um instante, _____ ele logo desaparecia, como uma miragem. Meu cérebro não conseguiu processar toda aquela complexidade". _____ talvez esse processamento fosse possível para um computador.

Recomposição de esqueleto de um *Spinosaurus* em exposição no Museu Nacional de Geografia em Washington, DC, 2014.

**2.** Leia as tiras a seguir. Preencha as lacunas com as palavras *mais* ou *mas* de maneira adequada.

a)

DAVIS, Jim. *Garfield, um gato em apuros.* Porto Alegre: LP&M, 2013. p. 120.

b)

Idem, Ibidem.

# Conhecimento em teste

### Texto 1

## Letrinhas

F. L. L.

Há tempos ensaio uma maneira de expressar meu inconformismo em relação a um desrespeito explícito aos telespectadores e consumidores brasileiros. O que são aquelas letrinhas minúsculas e velozes que acompanham grande parte dos comerciais televisivos e de alguns jornais? Informações indispensáveis e que, por isso, são obrigatórias nas propagandas? Creio que sim. Mas se são indispensáveis, da maneira como são veiculadas não cumprem o seu papel: o de informar o consumidor acerca de regulamentos, taxas, condições, etc. Quem é capaz de ler aquilo? É impossível. Minha revolta não se restringe à falta de informação a que continuamos sujeitos, pois com isso já estamos, de certa forma, acostumados. A pior parte é aquela em que os comerciais fingem que informam tudo a que estão obrigados e, na outra ponta, os órgãos responsáveis fingem que fiscalizam e que tudo está na mais perfeita ordem e legalidade. No meio ficamos nós, telespectadores e leitores, habituados com a falta de respeito que prevalece em nosso país, seja dos governantes, dos órgãos públicos, até mesmo do próprio povo para consigo mesmo, e, mais uma vez, colocamos nosso nariz de palhaço e fingimos que isto não nos afeta tanto. Talvez meus olhos já não estejam tão apurados assim...

Disponível em: <www1.folha.uol.com.br/folha/paineldoleitor>. Acesso em: 18 jun. 2015.
Abreviamos o nome do autor para preservar sua identidade.

1. O autor do texto defende a ideia de que:
   a) a veiculação de informações indispensáveis de forma a não serem lidas, em comerciais, é um desrespeito aos consumidores. ( )
   b) o excesso de informações veiculadas em comerciais é um desrespeito aos consumidores. ( )
   c) a falta de informações que se possam ler revela um desrespeito aos consumidores que têm problemas visuais. ( )
   d) a ausência de informações indispensáveis em comerciais é um desrespeito aos consumidores. ( )

2. No título do texto – *Letrinhas* –, o uso da terminação *-inha*, indicando diminutivo, produz efeito de:
   a) indiferença ( )
   b) elogio ( )
   c) crítica ( )
   d) delicadeza ( )

3. Para defender seu ponto de vista, o autor do texto utiliza diversas estratégias argumentativas. Uma delas é o diálogo com o leitor. O trecho do texto em que essa estratégia fica evidente é:
   a) "A pior parte é aquela em que os comerciais fingem que informam tudo a que estão obrigados [...]" ( )
   b) "[...] da maneira que são veiculados não cumprem o seu papel [...]" ( )
   c) "[...] e, mais uma vez, colocamos nosso nariz de palhaço e fingimos que isto não nos afeta tanto." ( )
   d) "Talvez meus olhos já não estejam tão apurados assim..." ( )

63

# Texto 2

WATTERSON, Bill. Calvin e Haroldo.

1. Na tirinha, a personagem Calvin conversa com Haroldo, seu tigre de pelúcia e amigo imaginário. O efeito de humor é alcançado principalmente devido:
   a) Ao fato de a personagem conversar com um bicho de pelúcia. ( )
   b) À expressão facial de Calvin, quando imagina que a mãe pode ter saído para ter um bebê. ( )
   c) À ironia do tigre, que, ao afirmar "ela deve ter aprendido a lição", sugere indiretamente que não deve ser nada fácil ser mãe de Calvin. ( )
   d) Ao fato de Calvin alterar-se emocionalmente passando, de um estado calmo, enquanto joga damas, ao desespero, ao imaginar que pode ter um irmão. ( )

2. No primeiro quadrinho, a expressão "no entanto", usada por Calvin, pode ser substituída, sem que se altere o sentido da frase, por:
   a) porque ( )
   b) mas ( )
   c) mais ( )
   d) embora ( )

3. No terceiro quadrinho, a personagem Calvin diz "Um bebê?!?". Nesse caso, o uso de letras maiores e o emprego de dois pontos de interrogação e de um ponto de exclamação no fim da frase ajudam o cartunista a expressar sentimentos de:
   a) dúvida e espanto ( )
   b) tristeza e determinação ( )
   c) indecisão e raiva ( )
   d) certeza e insatisfação ( )